특허청 등록
최보규 강사책출간 코칭전문가
등록 번호: 제 40-2200794 호
ONLY ONE
방탄
BOOK
기술력
www.방탄book.com
2
세계 최초! 출판계의 혁신!
최보규의 책 쓰기
10G
BOOKK

특허청 등록

최보규 강사책출간 코칭전문가

등록 번호: 제 40-2200794 호

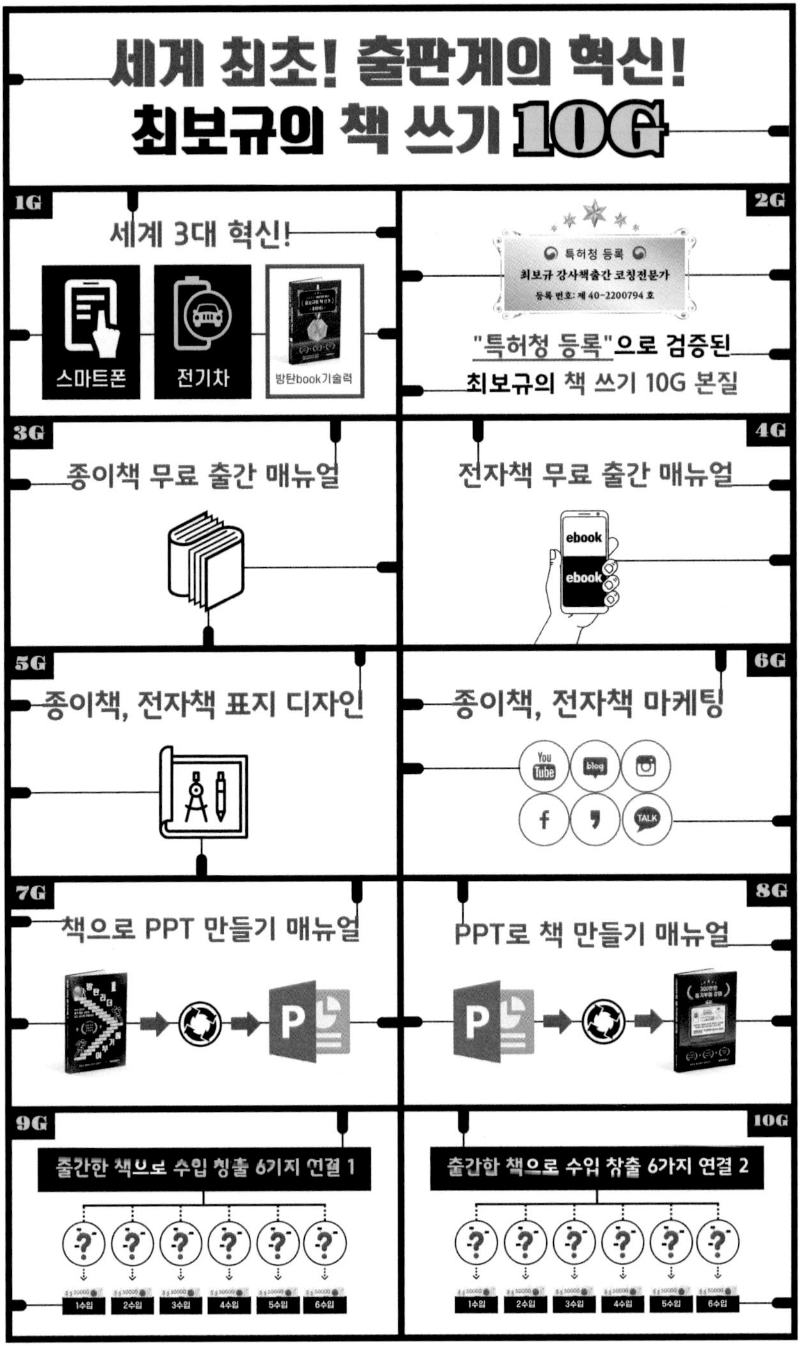
세계 최초! 출판계의 혁신!
최보규의 책 쓰기 10G
1G
세계 3대 혁신!
스마트폰
전기차
방탄book기술력
2G
특허청 등록
최보규 강사책출간 코칭전문가
등록 번호: 제 40-2200794 호
"특허청 등록"으로 검증된
최보규의 책 쓰기 10G 본질
3G
종이책 무료 출간 매뉴얼
4G
전자책 무료 출간 매뉴얼
ebook
ebook
5G
종이책, 전자책 표지 디자인
6G
종이책, 전자책 마케팅
You Tube
blog
TALK
7G
책으로 PPT 만들기 매뉴얼
8G
PPT로 책 만들기 매뉴얼
9G
출간한 책으로 수입 창출 6가지 연결 1
1수입
2수입
3수입
4수입
5수입
6수입
10G
출간한 책으로 수입 창출 6가지 연결 2
1수입
2수입
3수입
4수입
5수입
6수입

세계 최초! 출판계의 혁신!
최보규의 책 쓰기
10G
ONLY ONE
방탄
BOOK
기술력
www.방탄book.com
책쓰기
일타강사
세계 최초
방탄
BOOK
특허청
등록

만나서 반갑습니다!
좋은 일이 생길 거예요!

가슴이 설레는 만남이 아니어도 좋습니다.
가슴이 떨리는 운명적인
만남이 아니어도 좋습니다.
만남 자체가 소중하니까요!

핵심
내용 설명
특허청 등록
최보규 강사책출간 코칭전문가
등록 번호: 제 40-2200794 호
세계 최초! 출판계의 혁신!
최보규의 책 쓰기
10G
책쓰기
일타강사
세계 최초
방탄
BOOK
특허청
등록

최보규의 책 쓰기 10G
핵심 내용 설명

세계 3대 혁신!

스마트폰

전기차

방탄book기술력

세계에는 3대 혁신이 있다. 1대는 스마트폰, 2대는 전기차, 3대는 출판계의 혁신인 방탄book기술력이다. 기존 출판사 99%는 책만 출간 한다.

방탄book출판사는 6가지 수입 창출을 할 수 있는 책을 출간 한다.

최보규의 책 쓰기 10G
핵심 내용 설명

특허청 등록

최보규 강사책출간 코칭전문가

등록 번호: 제 40-2200794 호

"특허청 등록"으로 검증된
최보규의 책 쓰기 10G 본질

20,000명 심리 상담, 코칭, 종이책 150권, 전자책 250권 총 400권 출간으로 알게 된 책 쓰기, 책 출간의 본질! 사람들이 시간, 돈 낭비를 하는 이유는 본질을 모르고 책 쓰기를 하기 때문이다. 본질을 모르면 노오력만 하다 지쳐 떨어져 나가지만 본질을 알면 올바른 노력을 하게 되어 시간, 돈 낭비를 줄이고 결과를 만들어 낸다.

최보규의 책 쓰기 10G
핵심 내용 설명

3G

종이책 무료 출간 매뉴얼

대한민국 평균 1권 자비출판 비용이 평균 300만 원 발생한다. 150권 출간했다면 300*150= 4억 5천만 원이 발생했을까? 아니다! 방탄book기술력이 있다면 0원이면 가능하다. 방탄book기술력이면 10권, 100권, 1.000권 출간도 0원으로 할 수 있다. 원고 작업부터 책 출간까지 5단계로 쉽게 종이책을 출간할 수 있는 방탄book기술력을 세계 최초로 공개한다.

최보규의 책 쓰기 10G
핵심 내용 설명

전자책 무료 출간 매뉴얼

움직이지 않아도 수입을 발생시킬 수 있는 것이 전자책이다. 자는 동안에도 수입이 발생한다. 여행 중에도 수입이 발생한다. 커피숍에서 지인들과 수다를 떨고 있을 때도 수입이 발생한다. 장거리 운전 중에도 수입이 발생한다. 월세, 연금성 수입을 발생시키는 전자책은 선택이 아닌 필수다. 이제 당신도 전자책을 무료로 5분 안에 만들 수 있다.

최보규의 책 쓰기 10G
핵심 내용 설명

종이책, 전자책 표지 디자인

지금 시대(숏츠,유튜브, SNS...) 집중도가 전문가들에 의하면 금붕어보다 못하다고 한다.(금붕어 9초, 사람 8초) 한마디로 <u>8초 안에 선택받지 못하면 끝난다</u>는 것이다. 사람의 심리에서 시각적인 효과가 95%를 차지한다. 하루가 멀다하고 수 천개의 이미지, 영상, 화려한 것에 노출 되어 이미지가 화려하지 않으면 쳐다 보지도 않는다. 책 내용도 중요하지만 책 표지도 내용 만큼 중요하다. 안 팔리는 책 표지 디자인이 있고 <u>팔리는 책 표지 디자인</u>이 있다.

최보규의 책 쓰기 10G 핵심 내용 설명

종이책, 전자책 표지 디자인

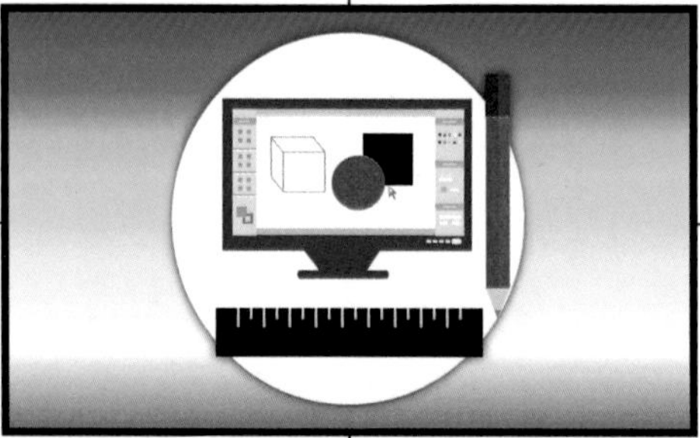

마우(마우스만 움직일 줄 아는 우주 초보)인 사람이 책과 연관된(종이책 표지, 종이책 3D 표지, 종이책날개 표지, 전자책 표지, 책에 들어갈 이미지 디자인, 책 출간 후 유튜브 홍보 영상 디자인, SNS 프로필 디자인... 등) 디자인을 할 수 있는 기술력을 배울 수 있다라면? 당신은 배울 것인가? 다음 생에 배울 것인가?

최보규의 책 쓰기 10G
핵심 내용 설명

6G

종이책, 전자책 마케팅

시행착오, 대가 지불, 인고의 시간을 거쳐 출간한 소중한 책이 홍보를 하지 않아 냄비 받침대가 되어가는 것을 보고만 있는 저자들이 90%다. 누군가는 sns라는 도구를 시간 때우는 도구로 사용하고 누군가는 자신 분야 마케팅 도구로 사용을 한다. 자신 sns을 활용해서 책 마케팅을 숨을 거두는 날까지 끊임없이 해야 한다. 알리지 않으면 죽은 거와 같다.

최보규의 책 쓰기 10G 핵심 내용 설명

책으로 PPT 만들기 매뉴얼

책을 출간하면 저자 특강을 하거나 출간 한 책으로 강의, 교육, 코칭을 해서 수입 창출을 한다. 출간한 책으로 PPT 교육, 강의, 코칭 자료를 만들어서 해야지만 수입이 올라가고 전문성을 인정받는 것은 아니다. 하지만 몸값을 올리는 사람, 삼성(진정성, 전문성, 신뢰성)을 인정받는 사람들은 출간 한 책으로 PPT 교육, 강의, 코칭 자료를 만든다는 것을 명심해야 한다.

최보규의 책 쓰기 10G
핵심 내용 설명

PPT로 책 만들기 매뉴얼

누군가는 PPT를 일할 때 외에는 활용하지 않는다. 하지만 누군가는 PPT를 활용하여 책을 출간해서 제2수입, 제3수입을 올린다. 왜 가지고 있는 경력, 가지고 있는 PPT를 썩히고 있는가? 누구도 말하지 못한 PPT로 책출간! 어디에서도 보지 못한 PPT로 책출간! 어떤 책에서도 보지 못한 PPT로 책출간! 어떤 영상에서도 보지 못한 PPT로 책출간! 어떤 사람에게도 들을 수 없는 PPT로 책출간!

최보규의 책 쓰기 10G 핵심 내용 설명

9G

출간한 책으로 수입 창출 6가지 연결 1

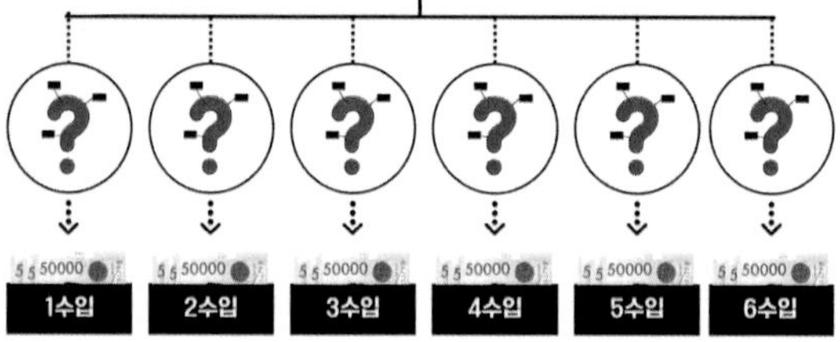

출판계 현실! 출간 한 책 90% 책들이 3개월 뒤에는 냄비 받침대가 되어 버리다. 한마디로 책 활용하는 방법을 배우지 않는다. 누군가는 책만 출간하고 누군가는 출간한 책과 방탄book기술력을 연결시켜 6가지 수입을 창출한다. 당신은 책 1권 출간하는 방법만 배울 것인가 책 1권 출간하여 6가지 수입 창출을 할 수 있는 방탄book기술력을 배울 것인가?

최보규의 책 쓰기 10G 핵심 내용 설명

출간한 책으로 수입 창출 6가지 연결 2

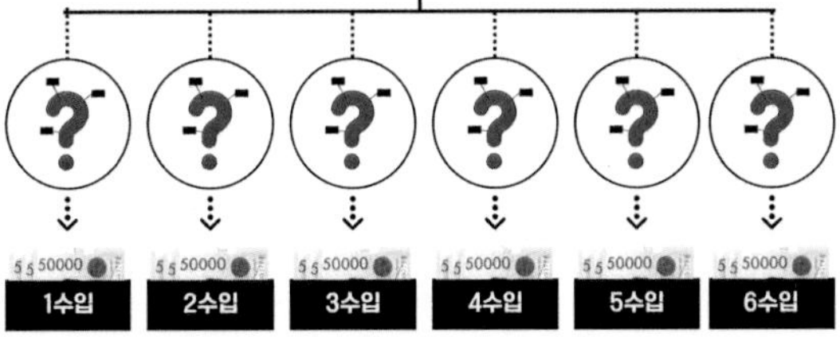

대한민국에 90% 출판사들이 책만 출간한다. 대한민국에 1%인 방탄book출판사는 자신 분야를 6가지 수입을 발생시킬 수 있는 책 출간을 한다. 당신의 선택은? 책만 출간하는 책 쓰기 교육, 코칭? 책도 출간하고 출간한 책을 활용해서 6가지 수입을 발생시키는 책 쓰기 교육, 코칭? 3고 시내, 은퇴 나이 49세 시대를 극복하기 위한 방탄book기술력 시작하자!

20,000명 심리 상담, 코칭으로
알게 된 사람들이 바라는
책 쓰기, 출간 교육, 코칭 10가지

특허청 등록

최보규 강사책출간 코칭전문가

등록 번호: 제 40-2200794 호

세계 최초! 출판계의 혁신!

최보규의 책 쓰기 10G

책쓰기 일타강사

세계 최초 방탄 BOOK

특허청 등록

20,000명 심리 상담, 코칭으로 알게 된
20,000명이 바라는 책 쓰기, 책 출간 교육, 코칭

10가지

1 한번 출간한 책으로 평생 활용하는 방법을 알려주는 교육, 코칭

2 로또 2등과 같은 기획출판을 하기 위해서 출판기획서 제작 스트레스, 거절 메일을 확인 하는 스트레스, 370가지 스트레스... 등 마음고생 덜 하고 책 출간할 수 있는 책 쓰기 교육, 코칭

3 책 활용 수입 창출 시스템 교육을 검증 된 전문가에게 한 곳에서 시간, 돈 낭비를 줄여주는 책 쓰기 교육, 코칭

4 한번 코칭으로 100년 a/s, 피드백, 관리해주는 책 쓰기 교육, 코칭

5 책 출간 후 자신 분야 삼성(진정성, 전문성, 신뢰성)을 높여 자신 분야 내공, 가치, 몸값까지 올릴 수 있는 책 쓰기 교육, 코칭

6 출간한 책으로 강사가 되어 은퇴 후 제2의 직업을 할 수 있는 책 쓰기 교육, 코칭

7 책 출간 후 자신 분야 코칭 전문가가 되어 은퇴 후 제3의 직업까지도 할 수 있는 책 쓰기 교육, 코칭

8 책 출간 후 온라인 콘텐츠까지 제작을 해서 비수기 없는 책 쓰기 교육, 코칭

9 책 출간 후 디지털 콘텐츠까지 제작을 해서 월세, 연금성 수입까지 발생시킬 수 있는 책 쓰기 교육, 코칭

10 책 한 권 출간하고 끝나는 것이 아니라 100년 동안 책을 무한대로 출간 할 수 있는 책 쓰기, 책 출간 기술력을 교육, 코칭

방탄 book

책 쓰기, 책 출간 교육, 코칭은 누구나 한다.
6가지 수입 창출 책 쓰기, 책 출간
교육, 코칭은 방탄BOOK 창시자 뿐이다.

20,000명이 바라는
책 쓰기, 책 출간 교육 강사
특허청 등록
최보규 강사책출간 코칭전문가
등록 번호: 제 40-2200794 호
세계 최초! 출판계의 혁신!
최보규의 책 쓰기
10G
책쓰기 일타강사
세계 최초 방탄 BOOK
특허청 등록

강사 15년 / 강의 6,000회를 통해 알게 된 교육 담당자, 학습자가 바라는 강사

Google 자기계발아마존 | YouTube 방탄자기계발 | NAVER 방탄자기계발사관학교 | NAVER 최보규

1. 가성비 강사 (1+4)

강의 시간 속에 즐거움, 메시지, 스토리텔링, 감동, 실천 동기부여를 해주는 강사

경기가 어려우면 교육을 의뢰하는 업체들은 이벤트, 교육 예산을 가장 먼저 비용 절감한다. 그래서 교육담당자들은 1명의 강사비로 5가지의 교육효과를 보고 싶어 한다. 한 번 교육 속에 즐거움, 메시지, 스토리텔링, 감동, 실천 동기부여를 해주는 가성비 강사를 선호한다. 가성비 강사는 시대 흐름이 되었다. 학습자들은 강의, 교육을 수 십 번 듣다 보니 일방적인 이론 교육만 하는 강의, 교육을 싫어한다. 가성비 강의를 하지 못하는 강사는 살아남지 못한다.

강사 15년 / 강의 6,000회를 통해 알게 된 교육 담당자, 학습자가 바라는 강사

Google 자기계발아마존 | YouTube 방탄자기계발 | NAVER 방탄자기계발사관학교 | NAVER 최보규

2. 스펙, 강사료 값어치를하는 강사

지금까지 들었던 강사와 다른 내공, 가치, 값어치가 다르게 느껴지는 강사

프로필에 있는 스펙은 1시간에 100만 원 강사비를 받는 자격은 되는데 강의 내용이 10만 원 강사보다 못한 강의를 하는 강사들이 많다. 한마디로 스펙, 강사료 값어치를 못 하는 강사가 많다는 것이다. 학습자가 강의를 들었을 때 "이런 강의는 나도 하겠다. 뻔한 강의, 차별화가 없는 강의, 신선함이 없는 강의, 강의 듣는 시간에 잠이나 자는 게 낫겠다. 이런 내용으로 하는 강의라면 강사 개나 소나 다하겠다."라는 마음을 들게 하면 최악의 강사다.

강사 15년 / 강의 6,000회를 통해 알게 된 교육 담당자, 학습자가 바라는 강사

Google 자기계발아마존 | YouTube 방탄자기계발 | NAVER 방탄자기계발사관학교 | NAVER 최보규

2. 스펙, 강사료 값어치를하는 강사

지금까지 들었던 강사와 다른 내공, 가치, 값어치가 다르게 느껴지는 강사

학습자가 강의를 들었을 때 "전에 비슷한 강의 수십 번 들었지만 이강사는 다르다. 프로필에 나온 스펙, 타이틀 값어치를 하는 강사다. 다시 듣고 싶게 하는 강의 내용이다. 강의 내용이 너무 좋아서 강사료를 더 챙겨 주고 싶게 만든다. 학습자를 사랑하는 마음이 느껴지는 강의다. 이런 강의는 10시간도 듣고 싶다."라는 마음을 들게 하는 강사가 가성비 강사이고 스펙, 강사료 값어치를 하는 강사이다. 강사가 스펙 값, 타이틀값, 경력 값을 하는 건 당연한 것이다.

강사 15년 / 강의 6,000회를 통해 알게 된 교육 담당자, 학습자가 바라는 강사

Google 자기계발아마존 | YouTube 방탄자기계발 | NAVER 방탄자기계발사관학교 | NAVER 최보규

3. 실천할 수 있는 강의 사용 설명서를 주는 강사

강의 때 배운 것들 강의 끝난 후 활용할 수 있는 사용 설명서(도구)를 주는 강사

20,000명 심리 상담, 코칭 하면서 알게 된 것은 사람의 심리는 1시간 교육, 강의를 듣더라도 90%는 잊어버리고 10%만 기억을 한다. 10%를 기억하는 사람들 중에 실천하는 사람은 0.1%도 되지 않는다. 아무리 강의, 교육이 좋아도 기억이 나지 않는데 어떻게 생활 속에서 실천을 하겠는가? 돌아서면 다 잊어버리기 때문에 교육, 강의가 끝난 후에도 실천할 수 있는 매개체를 주어야 한다. 눈에 보여야 실천 확률이 높기에 시각적인 실천 동기부여 도구를 주어야 한다. 학습자들이 가장 바라는 것은 교육, 강의가 끝난 후에도 생활 속에서 실천 할 수 있게 해주는 것이다.

강사 15년 / 강의 6,000회를 통해 알게 된 교육 담당자, 학습자가 바라는 강사

Google 자기계발아마존 | YouTube 방탄자기계발 | NAVER 방탄자기계발사관학교 | NAVER 최보규

1. 가성비 강사 (1+4)

강의 시간 속에 즐거움, 메시지, 스토리텔링, 감동, 실천 동기부여를 해주는 강사

2. 스펙, 강사료 값어치를하는 강사

지금까지 들었던 강사와 다른 내공, 가치, 값어치가 다르게 느껴지는 강사

3. 실천할 수 있는 강의 사용 설명서를 주는 강사

강의 때 배운 것들 강의 끝난 후 활용할 수 있는 사용 설명서(도구)를 주는 강사

최보규 강사의 차별화 강의가 아닌 초월 강사

Google 자기계발아마존 | YouTube 방탄자기계발 | NAVER 방탄자기계발사관학교 | NAVER 최보규

1. 가성비 강사가 되기 위해 강사 15년간 2,000권 독서 / 7,000개 메모 / 자기계발서 150권 출간을 통한 메시지, 스토리텔링 강의.

2. 학습자가 봤을 때 "이런 강의는 나도 하겠다."라는 말을 듣지 않고 쓰리 값(나이값, 스펙값, 강사료값)어치를 하기 위해서 **강사 11계 명 실천**으로 80억 분의 1 검증된 전문가다운 강의를 하는 강사.

3. 교육, 강의가 끝난 후에 생활 속에서 실천 동기부여를 할 수 있는 **도구, 사용 설명서**(강사 사비 제작)를 통해 변화, 성장할 수 있게 해주는 강사.

대한민국 99%가 책 쓰기, 출간하는 방법만
교육, 코칭 한다!
6가지 수입 창출 책 쓰기, 출간 기술력을
교육, 코칭 하는 곳은 **방탄book출판사뿐이다.**

방법을 알면 1권 출간하고 끝이지만
방탄book기술력을 알면
10권, 100권, 1.000권... 도 가능하다.

20,000명이 바라는

책 쓰기, 책 출간 코칭 전문가

특허청 등록

최보규 강사책출간 코칭전문가

등록 번호: 제 40-2200794 호

세계 최초! 출판계의 혁신!

최보규의 책 쓰기

10G

책쓰기 일타강사

세계 최초 방탄 BOOK

특허청 등록

20,000명 심리 상담, 코칭을 통해 알게 된
일반인, 강사, 리더, CEO, 은퇴자, 프리랜서가 바라는 코칭 전문가

Google 자기계발아마존 | YouTube 방탄자기계발 | NAVER 방탄자기계발사관학교 | NAVER 최보규

1. 가성비 코칭

변화, 성장, 자신 분야 연결을 통해 제2수입, 제3수입 까지 발생시킬 수 있는 코칭

대부분 사람들이 자신 분야 스펙, 경력과 무관한 새로운 분야 코칭을 받고 새로운 분야를 만들려고 한다. 그러다 보니 힘들고 어려운 것이다. 자신 분야 스펙, 경력과 연결시킬 수 있는 분야 코칭을 받는다면 좀 더 수월할 것이다. 지금 시대는 한 분야 전문성으로는 힘든 시대이기에 자신 분야 스펙, 경력을 살려서 수입을 창출할 수 있는 방법이 아닌 기술력을 배울 수 있는 가성비 코칭을 원한다. 방법을 배우면 3개월 밖에 안가지만 기술력을 배우면 100년 간다.

20,000명 심리 상담, 코칭을 통해 알게 된
일반인, 강사, 리더, CEO, 은퇴자, 프리랜서가 바라는 코칭 전문가

Google 자기계발아마존 | YouTube 방탄자기계발 | NAVER 방탄자기계발사관학교 | NAVER 최보규

2. 시간, 돈 낭비를 하지 않는 코칭

검증이 되지 않는 코칭에 속아 시간과 돈 낭비를 줄여서 빠른 수입 창출 코칭

방탄book기술력 코칭을 하다 보면 대부분 사람들이 처음 코칭 받는 사람은 드물고 여러 번 코칭을 받으면서 시간, 돈 낭비를 하고 난 뒤에 방탄book기술력 코칭을 받는다. 여러 코칭을 받으면서 수백만 원 ~ 수 천만 원을 투자했는데도 제대로 수입을 창출하지 못했다고 하소연하는 사람들이 많다. 속된 말로 혹하는 말에 속아 시간, 돈 낭비를 했다는 것이다. 지금 시대 검증 안된 전문가(사기꾼)들이 너무 많다. 시간, 돈 낭비를 줄이기 위해서는 표면적으로 검증할 수 있는 검증된 전문가인지, 시스템이 있는지 확인을 해야 한다. 예시) 박사, 10권 이상 전문 서적, 특허청 등록...등

20,000명 심리 상담, 코칭을 통해 알게 된
일반인, 강사, 리더, CEO, 은퇴자, 프리랜서가 바라는 코칭 전문가

Google 자기계발아마존 | YouTube 방탄자기계발 | NAVER 방탄자기계발사관학교 | NAVER 최보규

3. 코칭, PT 받은 후
A/S, 피드백, 관리를 해주는 코칭

혼자 스스로 할 수 있을 때까지, 자리 잡을 때까지 멘토가 되어 주는 코칭

코칭 받기 전에는 속된 말로 간, 쓸개 다 빼준다는 말로 혹하게 하여 교육, 코칭을 듣게 한다. 교육, 코칭 끝나면 혼자서 알아서 하라는 식으로 나 몰라 한다. 이런 교육, 코칭이 90%이다. 당연히 교육, 코칭의 기본 전제는 자신이 배운 것을 토대로 스스로 끊임없이 학습, 연습, 훈련을 해야 하지만 스스로 혼자 할 수 있을 때까지는 어느 정도 전문가의 케어가 필요한데 안타깝게도 현실은 그렇지 않다. 교육, 코칭 받을 때는 언제든지 전화하면 피드백 해준다는 말을 하면서 정작 전화하면 안 받거나 피한다. 방탄book기술력 교육, 코칭 받는 사람들 100%가 놀라는 것이 150년 a/s, 피드백, 관리에 놀란다. 자립할 때까지 케어해주고 인연이 되어 준다.

20,000명 심리 상담, 코칭을 통해 알게 된

일반인, 강사, 리더, CEO, 은퇴자, 프리랜서가 바라는 코칭 전문가

Google 자기계발아마존 | YouTube 방탄자기계발 | NAVER 방탄자기계발사관학교 | NAVER 최보규

1. 가성비 코칭

변화, 성장, 자신 분야 연결을 통해 제2수입, 제3수입 까지 발생시킬 수 있는 코칭

2. 시간, 돈 낭비를 하지 않는 코칭

검증이 되지 않는 코칭에 속아 시간과 돈 낭비를 줄여서 빠른 수입 창출 코칭

3. 코칭, PT 받은 후 A/S, 피드백, 관리를 해주는 코칭

혼자 스스로 할 수 있을 때까지, 자리 잡을 때까지 멘토가 되어 주는 코칭

최보규 전문가의 차별화 코칭(PT)이 아닌 초월 코칭(PT)

Google 자기계발아마존 | YouTube 방탄자기계발 | NAVER 방탄자기계발사관학교 | NAVER 최보규

1. 가성비 코칭을 해주기 위해서 자신 분야와 6가지 수입 창출하는 방법을 연결시킬 수 있는 기술력을 체계적으로 교육하는 코칭.

---

2. 특허청 등록: 제 40-2072344 호 [최보규 자기계발코칭 창시자] 매뉴얼, 시스템이 검증된 전문가로서 시간과 돈 낭비를 줄여주는 코칭.

---

3. 청출어람 사명감으로 150년 A/S, 피드백, 관리를 해준다는 우주 최강 책임감으로 멘토가 되어주는 코칭.

목차

특허청 등록

최보규 강사책출간 코칭전문가

등록 번호: 제 40-2200794 호

세계 최초! 출판계의 혁신!

최보규의 책 쓰기 10G

책쓰기 일타강사

세계 최초 방탄 BOOK

특허청 등록

목차

세계 최초! 출판계의 혁신!
최보규의 책 쓰기
10G
ONLY ONE
방탄
BOOK
기술력
www.방탄book.com
책쓰기
일타강사
세계 최초
방탄
BOOK
특허청
등록

종이책 무료 출간 매뉴얼

대한민국 평균 1권 자비출판 비용이 평균 300만 원 발생한다. **150권 출간했다면 300*150= 4억 5천만 원이 발생했을까? 아니다! 방탄book기술력이 있다면 0원이면 가능하다. 방탄book기술력이면 10권, 100권, 1.000권 출간도 0원으로 할 수 있다.** 원고 작업부터 책 출간까지 5단계로 쉽게 종이책을 출간할 수 있는 방탄book기술력을 세계 최초로 공개한다.

대한민국 99%가 책 쓰기, 출간하는 방법만
교육, 코칭 한다!
6가지 수입 창출 책 쓰기, 출간 기술력을
교육, 코칭 하는 곳은 **방탄book출판사뿐이다.**

방법을 알면 1권 출간하고 끝이지만
방탄book기술력을 알면
10권, 100권, 1.000권... 도 가능하다.

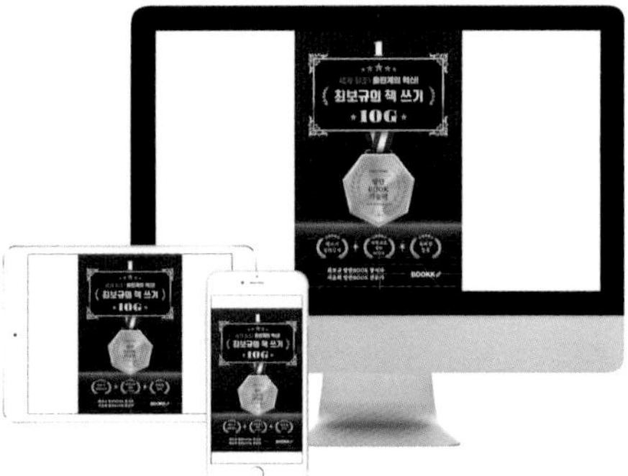

1) 책 원고 작업 세팅.

(한글(HWP)에 종이책 기본 규격 세팅)

46판	A5	B5	A4
127*188mm 일반도서 시, 에세이	대중적인 사이즈 148*210mm 일반도서 소설, 에세이	182*257mm 문제지, 잡지	210*297mm 문제지, 잡지

[bookk 출판사]

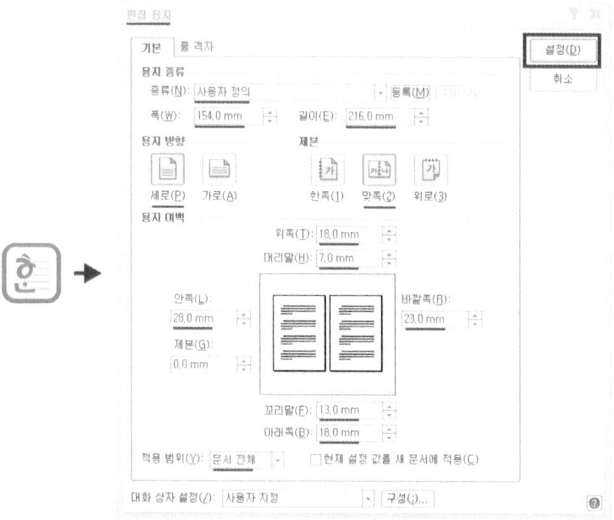

1) 책 원고 작업 세팅. 한글(HWP)에 종이책 기본 규격 세팅.

책 원고 작업을 여러 가지 프로그램에서 가능하지만 평규적으로 책 원고 작업을 한글(HWP)에서 한다. 그래서 출판사의 종이책 원고 규격에 맞는 한글(HWP)에 기본 규격 세팅을 해야 한다.

▶ 원고 작업을 위한 한글(HWP) 기본 규격 세팅 순서.
한글 → 편집 → 쪽 여백 → 쪽 여백 설정 → 종류(사용자 정의) → 폭(154) → 길이(216) #. A5 대중적인 사이즈 148*210인데 상하좌우 3mm는 실제 제작 할 때 재단되어 반영되지 않기에 148+6*216+6= 폭(154)*길이(216)가 되는 것이기에 참고하자.
→ 용지 방향(세로) → 제본(맞쪽) → 용지 여백 → 위쪽 18.0 → 머리말 7.0 → 꼬리말 13.0 → 아래쪽 18.0 → 안쪽 28.0 → 바깥쪽 23.0 → 문서 전체 → 설정

한 번만 세팅해 놓으면 복사해서 계속 쓸 수 있다.

1) 책 원고 작업 세팅.

(한글(HWP)에 종이책 기본 규격 세팅)

▶ 글꼴: 바탕 ~

▶ 글자 크기: 10 ~

▶ 글정렬: 양쪽 정렬

▶ 줄 간격: 160% ~

※ 글꼴, 글자 크기, 줄 간격 출판사 마다 다르다. bookk 출판사에서 평균적으로 사용하는 규격이니 참고하길 바란다.

※ 글꼴, 글자 크기, 줄 간격 출판사마다 다르다.
bookk 출판사에서 평균적으로 사용하는 규격이니 참고하길 바란다.

▶ 한글 → 글꼴(바탕) → 글자 크기(10) → 양쪽 정렬 → 줄 간격 160%

필자는 글자 크기를 12, 줄 간격은 180%로 하고 있다. 출판사가 정해 놓은 규격에서 조금 플러스가 될 수는 있지만 마이너스가 되면 안 된다. (책 출간이 안 되는 예시: 글자 크기 9, 줄 간격 150%)

한번만 세팅해 놓으면 복사해서 계속 쓸 수 있다.

1) 책 원고 작업 세팅.

(한글(HWP)에 종이책 기본 규격 세팅)

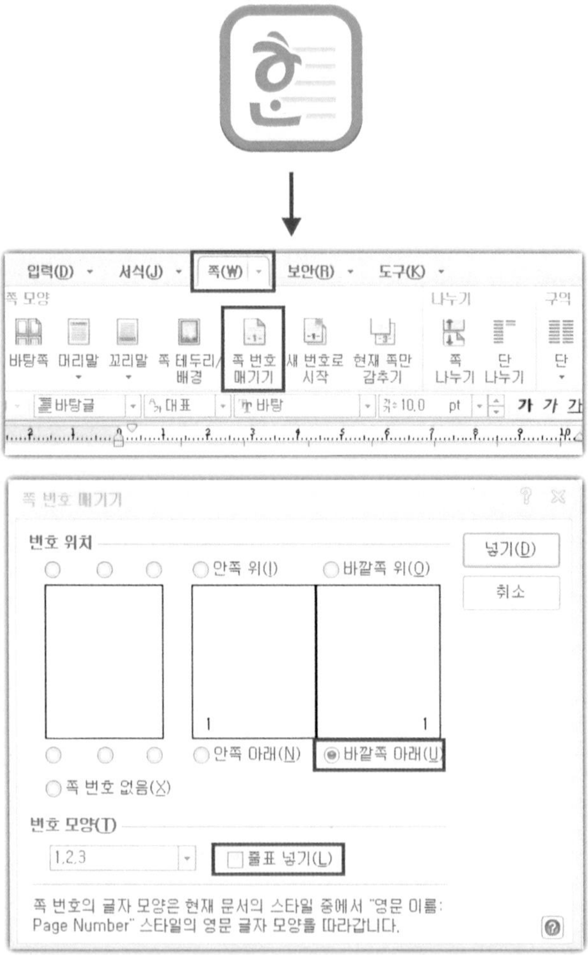

페이지 번호를 미리 세팅해 놓으면 원고 작업할 때 편하다. 지금 몇 페이지를 쓰고 있는지 몇 페이지가 남았는지 체크를 할 수가 있어서 원고 작업이 수월해진다. 쪽 번호 매기기는 원고를 다 쓴 다음에 할 수도 있다.

▶ 한글 → 쪽 → 쪽 번호 매기기 → 바깥쪽 아래 → → 줄표 넣기(자신 스타일에 맞게) → 넣기

한 번만 세팅해 놓으면 복사해서 계속 쓸 수 있다.

2) 책 출간의 뼈대인 초고 매뉴얼

- 책 분야 선택 (인기 있는 분야? 자신 분야?)

대학교로 비유를 하면 여러 가지 과로 나누어져 있듯이 책 분야도 여러 분야로 나누어져 있다. 대학교도 인기 있는 과가 있고 인기 없는 과가 있듯이 책 분야도 인기 있는 분야가 있고 인기 없는 분야가 있다. 한마디로 책을 보는 사람들이 좋아하는 분야가 있다는 것이다.

다음은 책 분야를 정리한 것이니 참고해서 책 분야 전체적인 흐름을 파악하길 바란다.

소설, 시/에세이, 인문, 가정/육아, 요리, 건강, 취미/실용/스포츠, 경제/경영, 자기계발, 정치/사회, 역사/문화, 종교, 예술/대중문화, 중/고등참고서, 기술/공학, 외국어, 과학, 취업/수험서, 여행, 컴퓨터/IT, 잡지, 청소년, 초등참고서, 유아(0~7세), 어린이(초등), 만화, 대학교재

<교보문고>

마음 같아서는 인기 있는 분야를 쓰고 싶을 것이다. 하지만 처음 글을 쓰는 사람들, 글 내공이 없는 사람들, 자신 분야 책을 3권 이상 쓰지 않은 사람들은 인기 있는 분야가 아닌 자신이 자신 있게 쓸 수 있는 분야를 선택해야 한다.

운전으로 예시를 들겠다. 운전면허증을 오늘 취득한 초보가 인기 있는 차종, 사람들이 좋다고 하는 차종, 고가의 차종을 운전한다면 부담이 되어서 나다운 운전 스타일이 나오지 않는다.

당연히 돈이 많아서 운전이 서툴러도 부담 없이 운전하는 사람도 있을 수 있지만 나다운 운전 스타일이 자리 잡을 때까지는 부담이 없는 소형차부터 시작을 하듯이 책 쓰기도 인기 있는 분야를 처음부터 시도해도 되지만 자신이 가장 잘 쓸 수 있는 자신 스토리, 자신 전문 분야로 책을 쓰면 글을 잘 쓸 수 있다.

자신에게 맞는 책 분야 선택을 잘 하려면 시중에 있는 자신 분야와 연관 있는 책들 10권 이상 보길 바란다. 10권 이상 보면 어느 정도 감이 올 것이다. 세상에서 가장 좋은 방법은 벤치마킹하는 것이다.

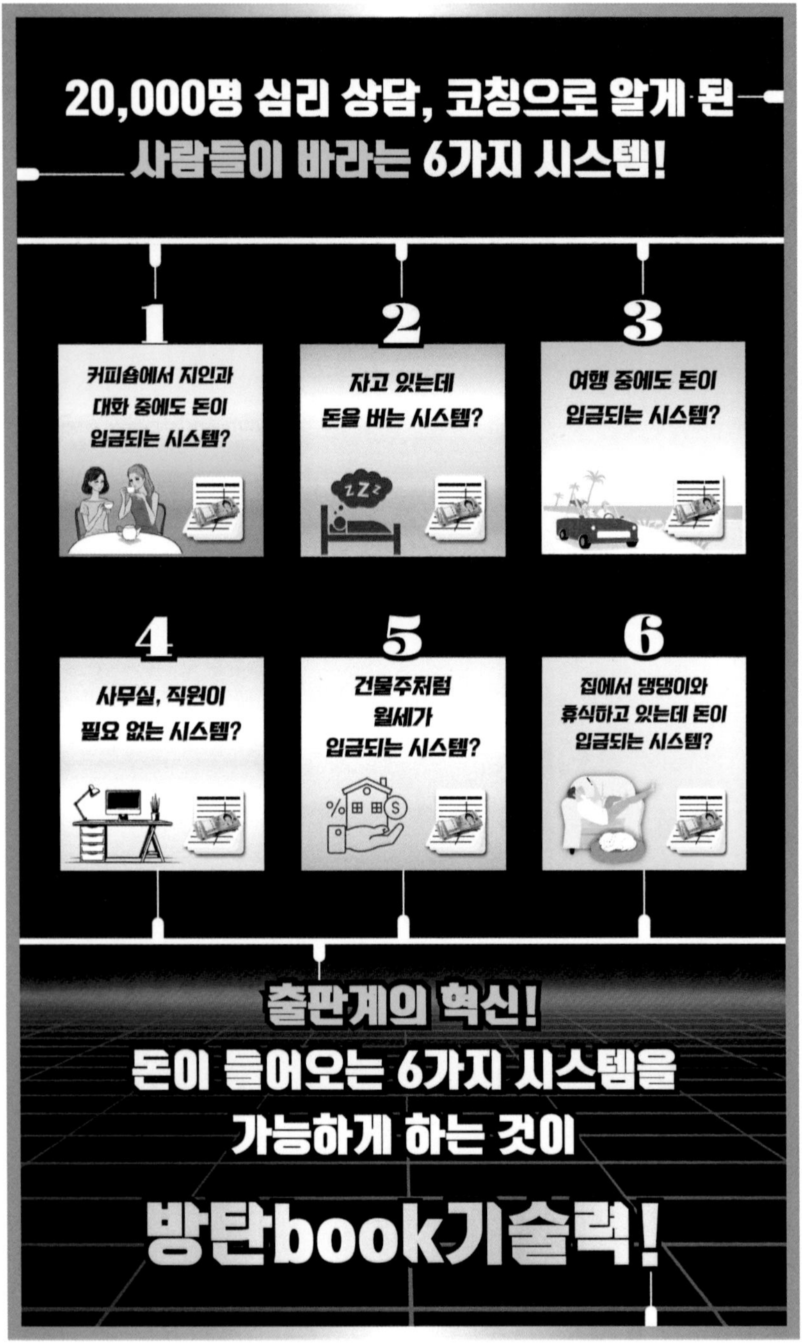
20,000명 심리 상담, 코칭으로 알게 된
사람들이 바라는 6가지 시스템!
1
커피숍에서 지인과 대화 중에도 돈이 입금되는 시스템?
2
자고 있는데 돈을 버는 시스템?
3
여행 중에도 돈이 입금되는 시스템?
4
사무실, 직원이 필요 없는 시스템?
5
건물주처럼 월세가 입금되는 시스템?
6
집에서 댕댕이와 휴식하고 있는데 돈이 입금되는 시스템?
출판계의 혁신!
돈이 들어오는 6가지 시스템을
가능하게 하는 것이
방탄book기술력!

평균 희망 은퇴 73세, 현실 은퇴 나이 49세!
100세 시대 언제까지 몸(노동)으로만
일해서 돈을 벌 것인가?

세상, 현실 기준에서 스펙, 돈, 인맥, 자산 등이 없어서 100세까지 노동을 해야 되고 몸까지 아프면 더 답이 없는 상황! 젊을 때는 100가지 중 99가지를 할 수 있지만 나이 들면 100가지 중 99가지를 할 수 없다. 3고 시대, AI 시대, 챗GPT 시대에 자신의 직업이 사라 질 수 있는 상황에서 어떻게 준비, 대비할 것인가?

방탄BOOK기술력
선택이 아닌 필수!

한 분야 전문성으로 힘든 시대다. 이제는 포트폴리오 커리어 시대다. (포트폴리오 커리어: 한 분야 전문성 외 다수에 전문성이 있는 사람) 자신 경력을 왜 썩히고 있는가! 자신 경력을 활용해서 6가지 수입을 발생시킬 수 있는 방탄book기술력! 언제까지 몸(노동)으로 일할 것인가? 자신 경력이 일하게 하자! 자신 콘텐츠가 일하게 하자! 시스템이 일하게 하자!

★ ★ ★ ★ ★

직장은 자신 인생을 책임져 주지 않지만
방탄book기술력은 자신 인생을 책임져 준다.
직장은 자신을 배신하지만
방탄book기술력은 자신을 배신하지 않는다.

대한민국 99%가 책 쓰기, 출간하는 방법만
교육, 코칭 한다!

6가지 수입 창출 책 쓰기, 출간 기술력을
교육, 코칭 하는 곳은 **방탄book출판사뿐이다.**

방법만 배우면 돈이 계속 나가지만
방탄book기술력을 배우면
돈은 계속 들어온다.

- 책 제목 만들기 (책 제목 먼저? 책 내용 먼저?)
첫 번째, 책 제목을 만들고 책 내용을 쓰는 게 먼저일까? 두 번째, 책 내용을 쓴 다음 책 제목을 만드는 게 먼저일까?

정답은 없지만 20,000명 심리 상담, 코칭, 종이책 150권, 전자책 250권 총 400권 출간 경력으로 알게 된 것은 책 내용을 쓰기 전에 책 제목을 간단하게 만들어야 한다는 것이다. 책 내용을 쓰면서 책 제목이 바뀔 수 있고 좀 더 좋은 아이디어가 나온다는 것이다.

"초고는 쓰레기다."라는 말이 있다. 처음 생각하고 만든 것은 어설프고 미흡하며 보완할 것이 많다는 의미다. 자신이 추구하는 책 분야, 책 가치, 책 신념, 책 의미, 책 목표, 책 방향이 정확하게 있다면 제목을 신중하게 만들 수 있지만 그렇지 않다면 간단하게 제목을 만들어도 된다.

필자에 첫 번째 책은 《나다운 강사 1》,《나다운 강사 2》다. 필자 본업이 강사이다. 5년 전 강사 직업과 강사 양성코칭을 10년 하면서 쌓인 노하우들을 책으로 출간을 했다. 《나다운 강사 1》책 제목을 '책을 써야겠다.'라는 마음먹은 순간부터 6개월 초고 작업과 탈고까지 하면서 제목을 한 번도 수정한 적이 없다. 책 분야, 책 가치, 책 신념, 책 의미, 책 목표, 책 방향이 정확하게 있었기 때문이다.

20,000명 심리 상담, 코칭, 종이책 150권, 전자책 250권 총 400권 출간하면서 알게 된 것은 처음 만들었던 책 제목은 초고를 쓰는 동안 여러 번 수정을 한다는 것이다. 처음 만들었던 책 제목을 책 출간까지 유지 되는 경우보다 수정하는 경우가 더 많았고 9(수정):1(유지)정도 되었다.

책 제목에 처음부터 힘쓰지 말고 가볍게 만들고 책 내용을 쓰면서 다듬어 가면 되는 것이다. 책 제목 가칭을 정하고 초고를 쓰면서 자신 분야와 비슷한 책들의 제목을 참고하며 지금 사람들 좋아하는 트랜드에 맞는 제목을 만들면 된다.

필자의 멘탈분야에 베스트셀러인《나다운 방탄멘탈》책으로 이해를 시켜주겠다.
《나다운 방탄멘탈》책 처음 제목이 <나다운 멘탈>이었다. 나다운 멘탈 주제로 7단계 큰 목차로 구분을 해서 초고를 만들었다.

1단계 나다운 순두부멘탈
2단계 나다운 실버멘탈
3단계 나다운 골드멘탈
4단계 나다운 에메랄드멘탈
5단계 나다운 다이아몬드멘탈
6단계 나다운 블루다이아몬드 멘탈
7단계 나다운 방탄멘탈

퇴고(원고를 고쳐 쓰는 단계)를 하고 탈고(원고를 마무리하는 단계)를 하는 중 한창 BTS(방탄소년단)그룹이 전 세계적으로 이슈가 되고 있었다. 어느 날 멘탈에 대해서 아내와 소통을 하는 중 우주에서 가장 사랑스러운 아내가 이런 말을 했다. "나다운 멘탈이 추구하는 본질이 자신 멘탈을 외부로부터 보호를 먼저 해야만 멘탈 높이는 방법들이 효과가 있다면 지금 방탄소년단이 트랜드이니까 방탄을 제목에 넣어서 나다운 방탄멘탈로 하면 어때?"라는 말에 피카츄 300만 볼트 전기 충격을 받았다.

장기, 바둑도 훈수 두는 사람이 더 잘 보이듯이 필자가 보지 못한 것을 우주에서 가장 존경하는 아내가 본 것이다. 그래서 《나다운 방탄멘탈》 책이 출간과 동시에 멘탈 분야 베스트셀러가 될 수 있었다.

간단히 정리를 하면 첫 번째는 책 제목 가칭을 가볍게 만들기. 두 번째는 초고를 쓰면서 시중에 있는 자신 분야 책들을 참고. 세 번째는 지금 사람들에게 이슈 되는 트랜드 읽기. 네 번째는 퇴고, 탈고하면서 책 제목 최종적으로 다듬기.

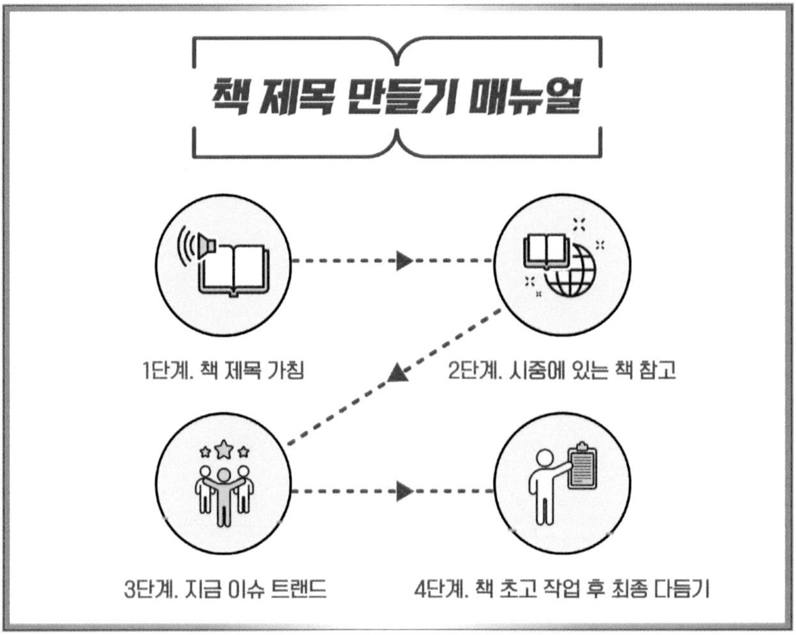

- 책 콘셉트, 사람들이 선호하는 책 콘셉트
(글만 있는 콘셉트? 글+스토리텔링? 글+스토리텔링+이미지?)
20,000명 심리 상담, 코칭, 종이책 150권, 전자책 250권 총 400권 책을 출간하면서 알게 된 것은 시대 흐름에 맞게 독자들이 선호하는 책 콘셉트가 있었다. 책 콘셉트는 스마트폰 시대 전과후로 나누어진다.

스마트폰이 없던 시대에는 책 콘셉트가 책 내용에 글만 있어도 괜찮았다. 그 이유는 글만 있는 책들이 대부분이고 생활 속에서 화려한 이미지, 영상에 노출되는 것이 한정되어 있었다.
하지만 지금은 어떤가? 스마트폰 시대에 하루 만에도 유튜브, 인스타그램, SNS 등으로 인해 수 백 개, 수 천 개의 화려한 이미지, 영상으로 눈이 아플 정도로 노출이 되고 있다. 이런 환경 속에서 책 콘셉트가 이미지는 하나도 없고 글만 있다면 책을 안 보는 사람들이 더 많아지고 책을 더 멀리하게 된다.

책을 좋아하는 사람들은 이미지가 있건 없건 책을 본다. 하지만 책을 좋아하지 않는 사람들은 이미지가 있어야 책을 보는데 좀 더 수월하다는 것이다. 책을 출간하려는 사람들은 책의 기본 사명감이 있어야 한다.

출간한 책으로 돈을 버는 것도 좋지만 자신 책으로 인해서 많은 사람들에게 도움, 영감, 삶의 지혜를 주어 지금 보다 나은 삶을 살아가기 위한 내비게이션 역할을 해줄 수 있는 책 출간을 해야 한다.

책을 보는 사람들을 타깃층 대상으로 책 내용을 쓰는 건 기본이지만 좀 더 나아가 책을 보지 않는 사람들, 책을 싫어하는 사람들이 우연히 자신 책을 봤을 때 "어라! 책 한 페이지만 봐도 졸음이 쏟아지는 사람이었는데 나에게는 책이 수면제였는데 이 책은 이미지, 스토리텔링도 많아서 끝까지 보게 된다. 태어나서 처음으로 끝까지 읽은 책이다. 독서에 눈을 뜨게 한 책이다. 이 작가에게 너무 고맙다."라는 말을 들을 수 있는 책을 출간하기 위한 책 콘셉트를 잘 잡아야 한다.

앞에서 필자의 책을 보고 "태어나서 처음으로 끝까지 읽은 책이다. 독서에 눈을 뜨게 한 책이다."라고 말했던 사람들에 말이 책이 많이 팔리는 기쁨 보다 1,000배는 더 기쁘고 행복했고 내가 살아가는 이유, 내가 존재하는 이유를 느끼게 해주었다. "나의 1%가 누군가에게는 살아가는 이유 100%가 될 수 있다."라는 말을 실제 경험했던 상황이었다.

솔직히 책을 좋아하는 1%들은 글만 있는 것을 더 선호한다. 하지만 대부분 사람들은 글만 있는 것을 싫어한다. 스마트폰으로 인해서 이미지, 영상, 화려함에 중독이 되어 있기 때문이다. 이런 환경 속에서 한 명이라도 자신 책을 읽게 만들기 위한 책 콘셉트가 중요하다고 강조하는 것이다.

그런데 안타깝게도 세계 어느 나라건 출판계 현실이 몇천 년이 지나도 책 콘셉트가 변하지 않고 있다. 지금 4차 산업 시대, AI 시대, 챗 GPT 시대 등 빠르게 변하고 있는 상황 속에서 몇 천 년 전 책 콘셉트와 지금과 별 차이가 없고 극단적인 표현을 하면 똑같다는 것이다.

이미지를 보듯이 BC 2700년경 인류 최초의 '점토판' 책과 2024년 지금 책 콘셉트를 보면 비슷하다 못해 똑같다는 것이다. 책 재질인 흙, 종이, 잉크 차이 빼고는 똑같다는 것이다. 어떤 생각이 드는가? 고정형 마인드와 성장형 마인드를 가진 사람 차이를 알려 주겠다.

고정형 마인드를 가진 사람들은 "몇 천 년이 지나도 책 콘셉트는 변하지 않는다. 아무리 스마트폰으로 인해서 이미지, 영상, 화려함에 중독이 되어 있어도 책은 좋아하는 사람만 보기에 앞으로 책 콘셉트는 글만 쓰면 되겠다."

성장형 마인드를 가진 사람들은 "몇 천 년이 지나도 책 콘셉트가 변하지 않았다. 스마트폰으로 인해서 이미지, 영상, 화려함에 중독이 되어있는 환경에서 앞으로 화려함에 중독되어 가는 것이 더 심하면 심했지 덜하지는 않을 것이다. 지금 환경, 사람들 심리에 맞춰 책 콘셉트를 글과 이미지를 잘 조합해야겠다. 그래야만 다른 책과 경쟁에서 살아남을 수 있다."

자신은 고정형 마인드를 가진 사람인가? 성장형 마인드를 가진 사람인가? 가슴에 찔림이 있다면 변화할 기회가 온 것이고 가슴이 두근두근 거린다면 행동할 기회가 온 것이다.

가슴이 벅차 오른 다면 방탄book기술력(6가지 수입 창출 시스템 교육) 코칭 받을 기회가 온 것이다. 지금 당장 상담받길 바란다!

♥ 최보규 방탄book기술력 창시자 010-6578-8295 ♥

#. 세계 3대 혁신이 있다.

- 첫 번째, 스마트폰 혁신

· 1876년 미국의 알렉산더 벨(Alexander G. Bell)

· 2007년 스티브 잡스 아이폰 (아이팟 + 인터넷 + 폰)

- 두 번째, 자동차 혁신

· 1886년 세계 최초 가솔린 자동차 / 칼 벤츠가 발명한 '페이턴트 모터바겐'

· 2024년 벤츠 전기차

- 세 번째, 출판계 혁신

· 인류 최초의 책 '점토판' BC 2700년경

· 방탄book기술력(수입 창출 6가지 방법)

지금 당신이 보고 있는 이 책이 세계 최초로 출판계의 혁신인 방탄book기술력이다. 지금 당신에게 천재일우(천 년에 한 번 만난다는 뜻으로 좀처럼 만나기 어려운 기회) 온 것이니 조상님에서 감사하고 "내가 인생을 지금까지 잘 살아서 이런 기회가 오는구나."라는 마음으로 제대로 배워서 자신을 알고 있는 사람들에게 필요한 사람이 되길 바란다.

세계 3대 혁신!
1대 혁신!
2대 혁신!
3대 혁신!
특허청 등록
최보규 강사책출간 코칭전문가
등록 번호: 제 40-2200794 호

세계 1대 혁신!

스마트폰 혁신

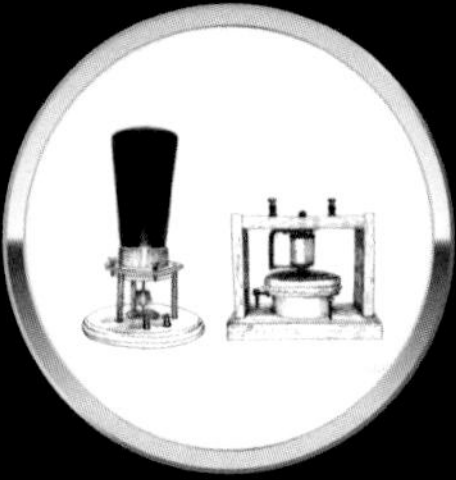

1876년
미국의 알렉산더 벨(Alexander G. Bell)

2007년 스티브 잡스
아이폰 (아이팟 + 인터넷 + 폰)

세계 2대 혁신!

자동차 혁신

1886년 세계 최초 가솔린 자동차
칼 벤츠가 발명한 '페이턴트 모터바겐'

2024년 벤츠 전기차

세계 3대 혁신!
출판계 혁신
인류 최초의 책 '점토판'
BC 2700년경
2024년 현재
인류 최초의 책 ~ 24년 현재 책 차이점?
책 재질인 점토, 종이 차이 빼고는
글씨만 있는 것은 똑같다.
최보규의 책 쓰기
10G
방탄BOOK기술력
수입 창출 6가지 방법

세계 3대 혁신!
스마트폰 혁신
1876년
미국의 알렉산더 벨(Alexander G. Bell)
2007년 스티브 잡스
아이폰 (아이팟 + 인터넷 + 폰)
자동차 혁신
1886년 세계 최초 가솔린 자동차
칼 벤츠가 발명한 '페이턴트 모터바겐'
2024년 벤츠 전기차
세계 최초! 출판계 혁신!
인류 최초의 책 '점토판'
BC 2700년경
2024년 현재
인류 최초의 책 ~ 24년 현재 책 차이점?
책 재질인 점토, 종이 차이 빼고는
글씨만 있는 것은 똑같다.
방탄BOOK기술력
수입 창출 6가지 방법
Google 자기계발아마존
YouTube 방탄자기계발
NAVER 방탄book기술력
NAVER 최보규

세계 최초! 출판계 혁신!

책만 출간하고 끝나는 것이 아닌 자신 분야와 출간 한 책을 연결하여 6가지 수입을 발생시킬 수 있는 기술력과 100년 지속할 수 있는기술력을 마스터 한다.

우리는 이것을 방탄book기술력이라 부른다.

20,000명 심리 상담, 코칭, 종이책 150권, 전자책 250권 총 400권 책을 출간하면서 알게 된 사람들이 선호하는 책 콘셉트를 설명하겠다.

첫 번째, 글만 있는 책 콘셉트.

시중에 있는 책 90%가 글만 있는 책 콘셉트이다. 오해하지 말고 들었으면 한다. 글만 있는 책이 나쁘다고 말하는 것이 아니다. 앞에서 언급했듯이 몇 천 년이 지나도 책 콘셉트가 변하지 않고 있다는 것을 말하고 싶은 것이다. 글만 있는 콘셉트는 책을 좋아하는 사람들에게는 상관이 없다. 글만 있는 콘셉트가 익숙하기 때문이다. 하지만 책을 좋아하지 않는 사람들에게는 글만 있는 책 콘셉트는 독서에 중요성만 알고 있는 사람들에게는 늘 좌절하게 만든다. 시도는 늘 한다. 글만 있는 책 콘셉트는 늘 좌절하게 만들어 독포자(독서 포기자)가 되어가는 안타까운 상황이 벌어진다.

두 번째, 글과 글을 뒷받침해 주는 스토리텔링.

글 빨, 글 내공이 있는 작가라면 충분히 자신의 스토리만으로도 책 내용 전달이 되어 책을 이해하는데 문제가 없다. 하지만 글 빨, 글 내공이 없는 작가들이 90%이다. 작가의 스토리로는 독자들에게 책 내용 전달이 쉽지 않고 이해력도 떨어진다. 그래서 글 빨, 글 내공이 없고 책을 많이 써보지 않은 사람이라면 독서, 영상, SNS 등에서 나오는 스토리텔링을 자신 글과 접목을 하면 된다. 자신 글에 날개를 달아주는 것이 기존에 있는 스토리텔링을 융합하는 것이다. 그러기 위해서는 평상시 스마트폰을 최대한 활용해야 한다. 하루 만에도 수 백 개, 수천 개의 영상, 이미지, 좋은 글, 좋은 메시지 등을 본다. 캡처하거나 글을 복사해서 메모장에 저장해 두었다가 책 쓸 때만 활용(저작권 위반 사항 주의) 하는 것이 아니라 힘들고 지칠 때 한번 씩 보면 도움이 되고 지인들과 대화하다가 도움이 되는 메모가 생각이 나면 보내줄 수도 있다. 필자의 7,000개 메모가 종이책 150권, 전자책 250권 총 400권을 출간하는데 기초가 되었다.

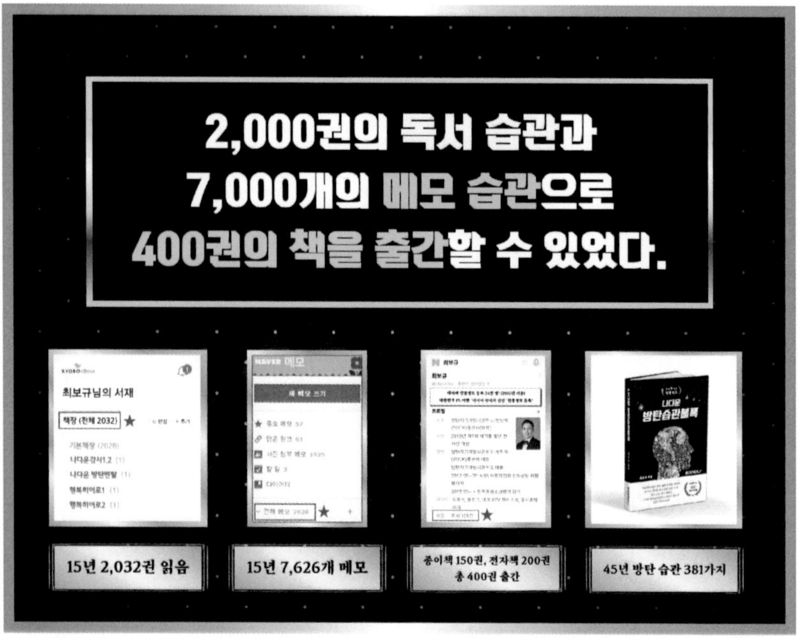
2,000권의 독서 습관과
7,000개의 메모 습관으로
400권의 책을 출간할 수 있었다.
최보규님의 서재
책장 (전체 2032)
나다운 방탄습관블록
15년 2,032권 읽음
15년 7,626개 메모
종이책 150권, 전자책 200권
총 400권 출간
45년 방탄 습관 381가지

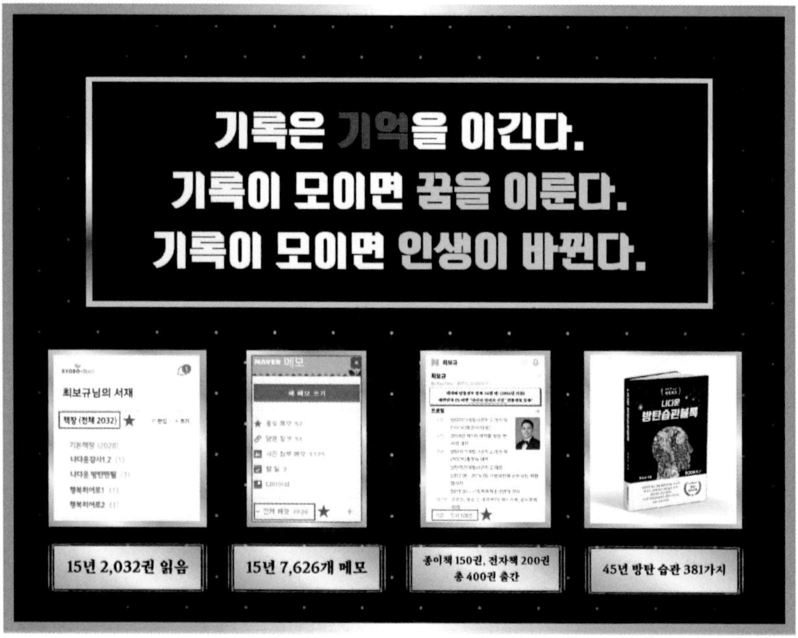
기록은 기억을 이긴다.
기록이 모이면 꿈을 이룬다.
기록이 모이면 인생이 바뀐다.
최보규님의 서재
책장 (전체 2032)
나다운 방탄습관블록
15년 2,032권 읽음
15년 7,626개 메모
종이책 150권, 전자책 200권
총 400권 출간
45년 방탄 습관 381가지

세 번째, 글과 글을 뒷받침해 주는 스토리텔링이 99℃ 물이라면 1℃를 올려 끓게 만드는 건 이미지 디자인. 사람은 시각적인 동물이다. 시각적인 효과가 95%를 차지한다. 지금 시대는 숏폼으로 인해서 집중도가 더 낮아지고 있다. 이런 현실 속에서 책을 쓰는 사람이라면 독자들에 집중력까지 감안해서 집중력을 끌어올릴 수 있는 책 콘셉트를 잘 정해야 한다.

지금 어떤 시대에 살고 있는가? 스마트폰으로 인해서 하루만 해도 영상, 이미지, 글... 눈이 아플 정도로 화려한 것을 수 만개는 본다. 한마디로 지금 시대 사람들의 평균 시각적인 수준이 높다는 것이다. 이런 상황에서 글만 있는 책이라면 집중도가 떨어진다. 호기심을 유발, 궁금증 유발 "이런 디자인은 처음 보는데 너무 신선하다. 럭셔리하다."라는 마음이 들어서 보고 싶도록 이미지도 있어야 집중도가 올라간다. 다음은 지금 현실 속 사람들의 집중력에 대한 내용이다.

겨우 8초, 금붕어보다 못한 인간의 집중력

소위 'MZ'라고 불리는 요즘 젊은 세대는 어렸을 때부터 늘 새로운 자극으로 가득한 디지털 환경에 노출된 채 자랐다. 그래서인지 한 가지 주제에 오랫동안 집중하기 상당히 어려운 뇌 구조를 지녔다고 한다. 뭔가에 집중할 수 있는 시간(Attention Span)에 관한 연구를 살펴보자. 아동이 주의해서 집중할 수 있는 시간은 얼마나 될까? '자신의 나이×1분' 정도라고 한다. 6세 어린이는 약 6분 정도 집중할 수 있다는 뜻이다. 이 시간은 개인에 따라 차이가 있고, 몰입하면 10~15분까지는 늘어날 수 있다. 너무 지루하지도 않고 그렇다고 아주 재미있지도 않은 평범한 수업을 하고 있다고 하자. 십 대 학생들은 보통 수업을 듣기 시작하면 약 10분 후부터 집중력이 떨어진다. 일반적으로 이들이 뭔가에 주의해서 집중할 수 있는 시간은 20분을 넘기기 어렵다. 따라서 수업 시작 후 10~20분이 지나면 신경전달물질이 고갈된 학생들은 이내 집중에 어려움을 느끼고 주의가 산만해진다. 그래서 유튜브 영상의 평균 길이는 15~20분이고, 테드(TED) 강연 길이는 18분이다. 집중력을 감안해 메시지를 확실히 전달하기 위한 시간이다. 드롭박스의 마케팅 신화를 쓴 실리콘밸리 최고의 마케터 션 앨리스(Sean Ellis)가 한 말을 약간 각색하여 들어보자.

"고객의 주의집중을 원하신다고요? 사업 규모의 확장을 위해서는 시장이 원하는 언어를 사용해야 합니다. 언어의 시장 적합성이 무엇보다 중요하죠. 잠재 고객의 마음을 움직일 수 있는 말을 상상해 보세요. 당신이 만든 제품을 고객이 마주할 때 어떻게 해야 가장 효율적으로 전달할 수 있을지 생각해 보셨나요? 고객이 좋아하지 않는 언어로 구애한다면 실패입니다. 제품 가치를 알아줄 상대방이 없는 곳에서 헛스윙을 하는 거라고 생각하면 됩니다." 여기서 왜 고객의 마음을 끌어당길 언어에 몰두해야 하는지 그 이유가 나온다. 스마트폰이 생기기 전 고객이 광고에 집중할 수 있는 시간은 12초였다. 이제는 8초로 뚝 떨어졌다. 9초인 금붕어보다 못하다.

주의집중 시간의 변화
12초 - 2000년 인간의 평균 주의집중 시간
8초 - 2015년 인간의 평균 주의집중 시간
9초 금붕어의 주의집중 시간

인간의 평균 주의집중 시간 인간의 평균 주의집중 시간 금붕어의 주의집중 시간 왜 이런 일이 발생했을까? 주변의 수많은 자극에 적응하다 보니 주의력이 줄어들었다는 것이 통설이다. 생각해 보라. 우리는 매일매일 넘치는 정보의 홍수 속에서 살아가고 있다.

수시로 오는 문자와 카카오톡 메시지, 귀찮아 들여다보지도 않는 이메일처럼 하루하루 우리의 신경을 산만하게 하는 요소가 차고 넘친다. 그 결과 집중해서 주의를 지속하는 시간이 줄어드는 것은 당연한 결과다. 게다가 여러 일을 한꺼번에 하는 멀티태스킹형 업무 방식에 길

들여진 젊은 세대에게 이런 현상은 더욱 심각하게 다가올 수밖에 없다.

뇌 신경세포를 뜻하는 뉴런과 마케팅의 합성어인 뉴로마케팅(Neuro Marketing)의 연구 결과를 보자. 브랜드의 색상이 소비자로 하여금 다양한 감정을 불러일으킨다고 한다. 소비자들이 상품을 구매하는 데 있어 시각적 효과가 약 95%를 차지한다고 하니, 디자인과 색감이 큐레이터에게는 아주 중요하다.

색은 브랜드를 인식하는 강력한 수단으로, 그리고 소비자의 신뢰를 확보하는 무기로 작용한다. 빨간색 코카콜라와 초록색 스타벅스 로고가 소비자의 지갑을 열게 하는 강력한 마케팅 도구로 활용되고 있다는 것은 마케팅 세계에서는 익히 아는 이야기다.

《감정 경제학》

금붕어의 집중력이 9초인데 지금 시대 사람들의 집중력이 8초라는 말이 씁쓸하기만 하다. 지금시대 사람들의 심리를 알려주는 내용이었다.

어떤 분야든 지금 시대 사람들의 상태, 심리를 알아야만 공격적으로 영업, 마케팅을 할 수 있고 자신 분야 제품을 알릴 수 있는 것이다.
시각적인 효과가 95%를 차지한다는 것은 어마어마한 것이다. 그래서 책 콘셉트에 디자인이 중요하다고 말을 하는 것이다. 다시 한 번 강조하겠다. 사람들이 선호하는 책 콘셉트는 작가의 글을 뒷받침해주는 스토리텔링에 핵심 정리를 시켜줄 이미지 디자인이다.

예시)
작가 글(세 번째, 작가의 글을 뒷받침해 주는 스토리텔링이라는 99℃ 물에서 1℃를 올려 끓게 만드는 이미지 디자인)+ 스토리텔링(금붕어 스토리텔링)+ 이미지 디자인

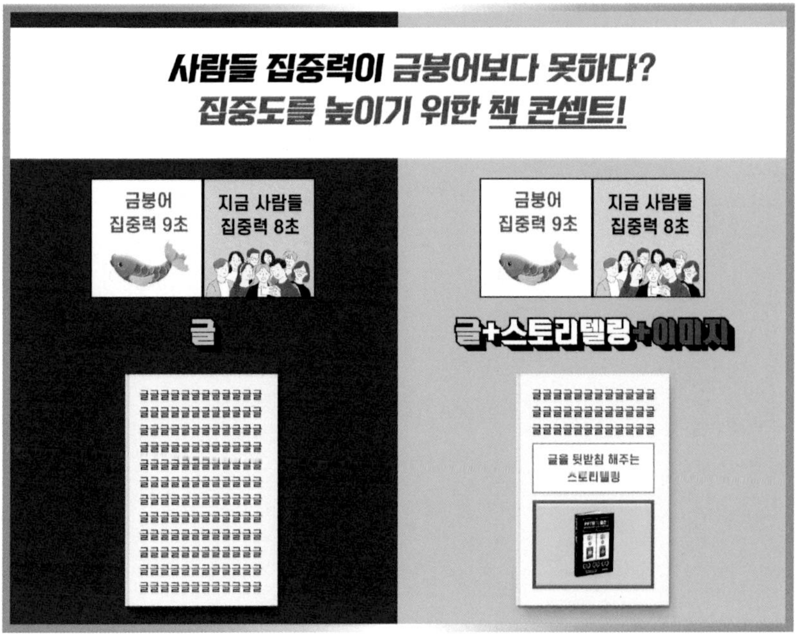

- 초고 내용 (1개월 안에 끝내기? 여유를 가지고 끝내기?)

대부분 작가들이 초고는 최대한 빠르게 작업해야 한다고 알고 있다. 시중에 있는 책 쓰기 책, 책 출간 책들을 보면 평균적으로 말하는 초고 기간은 1년, 6개월, 3개월, 1달 안에 해야 된다. 라고 알고 있다. 될 수 있으면 초고를 빠른 시간 안에 끝내는 게 좋다. 그 이유는 글빨, 글 영감이 한번 집중해서 쓸 때 잘 나오고 글이 살아나기 때문이다. 초고 쓰는 기간이 길어지면 글을 쓰는 동기부여도 약해져서 책을 쓰는 열정이 식기 때문이다.

20,000명 심리 상담, 코칭, 종이책 150권, 전자책 250권 총 400권 책을 출간하면서 알게 된 것은 초고를 빠르게 작업해야 된다는 말은 49%만 맞다. 51%는 아니다. 49%만 맞는 이유는 책 쓰기, 책 출간이 직접적으로 자신 직업과 연관이 되어 시간의 여유가 없고 돈을 벌기 위함이라면 최대한 빠르게 단시간 안에 초고 작업을 끝내는 게 맞다. 하지만 책 쓰기, 책 출간이 직접적으로 자신 직업과 연관이 없고 시간적 여유가 있는 책 쓰기, 책 출간이라면 시간이 걸리더라도 상관은 없다.
자신 스타일, 자신 상황에 맞는 초고 작업을 하면 되는 것이다.

평균적으로 초고 내용 작업은 한글 파일(HWP)에서 한다. 출판사마다 원고 기준이 다르지만 평균적으로 초고 기준을 알려주겠다.

한글 파일(HWP) → 편집 → 쪽 여백 → 쪽 여백 설정 → A4(국내판:210*297mm) → 용지 방향 세로 → 제본 맞쪽.

글자체: 바탕
글씨 크기: 10pt
줄 간격: 160%
장평 100%
사진 포함 시 '문서에 포함' 체크

쪽수는 100쪽 이상 써야지만 평균 책 한 권 250페이지 양이 나온다.

초고때 한글 파일(HWP) 100쪽에 써야 된다. 1쪽을 하루, 3일, 1주일 등으로 나누어 초고를 써야 한다. 1주인에 1쪽씩 쓴다고 가정했을 때 1년이 총 52주이기 때문에 52쪽이 나온다. 1주일에 2쪽이면 104쪽이 나온다.

초고를 쓸 때 가장 중요한 것이 있다. 대부분 책 쓰기 책들이 말하는 것은 "표준어를 써야 되고 비속어는 쓰면 안 되며 사투리, 욕이 들어가면 안 되고... 등 자연스럽게 읽을 수 있고 거부감 없는 말투로 써야 된다."라고 나와 있다.

필자가 경험상 어떤 책이냐에 따라 다르다고 생각한다. 교재나, 학습용, 교육용, 전문 지식을 전달하는 책을 쓴다면 당연히 자제를 해야 되지만 대부분 일반적인 책이기에 일반적인 책이라면 표준어에 맞춰서만 쓰면 되는 것이다. 특히 처음 책을 쓰는 사람이라면 더더욱 힘들 것이다. 몇 글자 쓰고 맞춤법 검사기로 표준어 검사해서 쓴다면 몇 백 년은 걸릴 것이고 책 한 권 쓰다가 인생 끝난다.

초고를 빠른 시간에 쓰면 좋겠지만 글 빨, 글 내공이 있지 않는 한 머리에 뒤죽박죽 섞여 있는 내용을 글로 옮긴다는 게 어렵다. 사람마다 다를 수 있지만 필자는 책 10권을 출간 했을 때 글 빨, 글 내공이 나왔다. 방탄 book기술력 코칭 해보면 코칭 받는 사람들이 늘 하는 말이 있다. "머리에는 있는데 글로 표현하려니 잘 안됩니다."라는 하소연을 하는 사람들이 많았다. 누구나 겪는 인고의 시간이다. 그 시간을 극복해야만 글 빨, 글 내공이 나오는 것이다.

방탄book기술력 코칭 할 때 알려주는 팁을 한가지 오픈하겠다. 머리에 있는 내용이 글로 표현하기가 어려울 때 최고의 방법은 녹음을 한 다음 녹음 한 것을 필사하면 된다. 필사하는 것 또한 쉽지 않다. 녹음한 것을 플레이 하고 정지해서 한 문장 필사하고 계속 반복한다는 것이 쉽지는 않다. 그래서 도구를 사용 하면 되는데 녹음했던 파일을 텍스트로 변환해 주는 프로그램을 사용 하더라도 정확도가 떨어지기에 다시 체크를 해야 한다. (네이버 검색: 클로바 노트)

필사 목적이 오로지 책을 출간하기 위한 동기부여만 있다면 금방 지친다. 그래서 여러 가지 필사 동기부여를 해야 한다. 책을 출간하는 동기부여도 있지만 머리에 있는 것을 말로 하면 1차로 정리가 되고 필사를 하면 2차로 정리가 되어 핵심 내용이 다듬어진다. 자신 전문 분야를 필사한다면 매뉴얼, 자료화가 만들어져서 진정한 전문가로 거듭나고 자신 분야 삼성(진정성, 전문성, 신뢰성)이 향상된다.

짝퉁 전문가는 말로만 설명한다. 설명도 정리가 되지 않아 어렵게 말한다. 명품 전문가는 설명도 쉽게 하지만 글을 통해 매뉴얼, 자료화를 만든다. 필사를 많이 하거나 책을 많이 쓰는 사람들 특징은 말을 조리 있게 잘하고 상황, 상대방을 이해하는 능력이 좋다. 스피치에서는 당당함, 자신감, 열정이 느껴진다. 필사는 인고의 시간이 필요하지만 인고의 시간만큼 얻어 가는 것이 많다는 것을 명심하자.

#. 초고를 잘 쓰려면 5라를 해야 한다.

1. 표준어는 잊고 그냥 써라!
2. 사투리는 신경 쓰지 말고 그냥 써라!
3. 비속어 신경 쓰지 말고 그냥 써라!
4. 욕 신경 쓰지 말고 그냥 써라!
5. 생각나는 대로 그냥 써라!

초고는 평상시 가족들과, 친한 친구들과 대화하는 말투로 쓰면 된다. 그래야 부담 없이 머리에 있는 것이 나온다. 초고를 다 쓰면 교정, 교열은 전문가에게 맞기면 된다. 처음 책 쓰는데 너무 힘들게 쓰지 말라는 것이다.

정성스럽게 온 힘을 다해서 어렵게 쓰는 책과 대충 쓰는 책을 대하는 태도가 다르겠지만 처음부터 이것저것 신경을 너무 많이 써서 초고를 쓰면 빨리 지친다. 자신 전문분야가 아닌 일반 책을 쓸 거라면 힘을 빼고 쓰는

게 좋다.

마라톤 풀코스를 뛰어보고 알게 된 것이 있다. 마라톤에서 가장 중요한 것이 나다운 페이스다. 자신을 앞서가는 사람들 주위 사람들을 의식하는 페이스는 완주를 못한다. 초고 쓰기 완주를 하기 위해서는 나다운 글쓰기 페이스가 중요하다는 것이다.

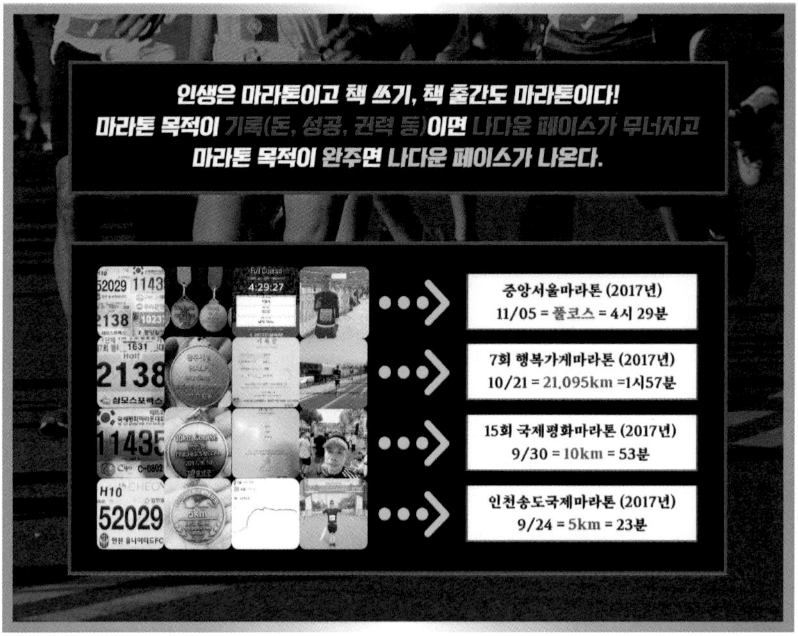

방탄book기술력을 코칭 할 때 늘 하는 말이 있다. "최보규 방탄book기술력 창시자와 함께 한다면 온 힘을 다해, 온 정성을 다해 3대까지 가는 책을 쓰기 위해 집중해야 되지만 혼자 책을 쓴다면 동기부여해 줄 사람이

없기에 닥고(닥치고 무조건 고고고)해야 합니다. 방탄 book기술력을 만난 건 천재일우(천 년에 한 번 만난다는 뜻으로 좀처럼 만나기 어려운 기회)라 생각하시고 믿고 따라오시면 됩니다. 책 쓰기, 책 출간, 인생 페이스메이커가 되어 주겠습니다."

20,000명 심리 상담, 코칭으로 알게 된
20,000명이 바라는 책 쓰기, 책 출간 교육, 코칭

10가지

1 한번 출간한 책으로 평생 활용하는 방법을 알려주는 교육, 코칭

2 로또 2등과 같은 기획출판을 하기 위해서 출판기획서 제작 스트레스, 거절 메일을 확인 하는 스트레스, 370가지 스트레스... 등 마음고생 덜 하고 책 출간할 수 있는 책 쓰기 교육, 코칭

3 책 활용 수입 창출 시스템 교육을 검증 된 전문가에게 한 곳에서 시간, 돈 낭비를 줄여주는 책 쓰기 교육, 코칭

4 한번 코칭으로 100년 a/s, 피드백, 관리해주는 책 쓰기 교육, 코칭

5 책 출간 후 자신 분야 삼성(진정성, 전문성, 신뢰성)을 높여 자신 분야 내공, 가치, 몸값까지 올릴 수 있는 책 쓰기 교육, 코칭

6 출간한 책으로 강사가 되어 은퇴 후 제2의 직업을 할 수 있는 책 쓰기 교육, 코칭

7 책 출간 후 자신 분야 코칭 전문가가 되어 은퇴 후 제3의 직업까지도 할 수 있는 책 쓰기 교육, 코칭

8 책 출간 후 온라인 콘텐츠까지 제작을 해서 비수기 없는 책 쓰기 교육, 코칭

9 책 출간 후 디지털 콘텐츠까지 제작을 해서 월세, 연금성 수입까지 발생시킬 수 있는 책 쓰기 교육, 코칭

10 책 한 권 출간하고 끝나는 것이 아니라 100년 동안 책을 무한대로 출간 할 수 있는 책 쓰기, 책 출간 기술력을 교육, 코칭

방탄 book

책 쓰기, 책 출간 교육, 코칭은 누구나 한다.
6가지 수입 창출 책 쓰기, 책 출간
교육, 코칭은 방탄BOOK 창시자 뿐이다.

3) 퇴고, 탈고의 본질

한글(HWP)원고 작업에 마지막 단계인 퇴고, 탈고다.

책 쓰기 5단계
원고 → 초고 → 퇴고 → 탈고 → 투고

원고는 책을 쓰기 위한 한글(HWP)원고 기본 규격 세팅 단계다.
초고는 초벌로 쓴 원고다.
퇴고는 원고를 고쳐 쓰는 단계다.
탈고는 원고를 마무리하는 단계다.
투고는 마무리 한 원고를 출간하기 위해 출판사에 보내는 단계다.

투고의 해석 "내 원고 한번 읽어 보고 대중적으로 인기가 있을 거 같거나 돈이 될 거 같으면 1,000만 원 ~ 3,000만 원 투자해서 출간 해주세요." 라는 직설적인 의미가 있다.
이것을 로또 2등과 같다고 하는 기획출판이라고 한다.
그래서 아무나 기획출판을 하지 못한다. 필자의 대표적인 기획 출판의 책이 《나다운 방탄멘탈》이다. 300개가 넘는 출판사에 출판 기획서를 만들어서 보냈다. 거절 메일이 몇 개가 왔을 거 같은가? 누군가는 투고 스트레스 때문에 원형 탈모가 오고 소화불량, 우울증까지 걸린 사람도 있다. 당연한 것이다. 1,000만 원 ~ 3,000만 원(책 한 권 작업하는 모든 비용인 인건비, 책 부수, 홍보비, 유통비, 물류비...)을 투자해 주는데 아무나 기획출판을 해주겠는가? 출판사에서는 리스크를 감수하고 기존에 경험과 가능성으로 기획출판을 하기 위해서 신중에 신중할 수밖에 없다. 하루 만에도 대형 출판사에 평균 투고 원고가 100개 이상이 온다고 한다.

그래서 대부분 책 출간하는 사람들이 자비출판, 대필 출판을 한다. 돈만 있으면 투고 스트레스 없이 책을 출간할 수 있기 때문이다. 그래서 시간의 여유가 없고 책 쓰기를 해보지 않은 사람들, 국회의원, CEO, 유명인사들 대부분이 대필 출판을 한다. 대필 출판이 불법, 이상한 것이 아니다. 머릿속에 있는 내용을 말로는 하기 쉬운데 글로 쓰고 정리하는 것이 힘들기에 대필 전문가에게 의뢰를 해서 책을 출간한다. 자비 출판은 자신이 써 놓은 원고가 있는 상태에서 100만 원 ~ 500만 원 들어가고 대필 출판은 원고가 없어도 가능하며 기본 400만 원 ~ 1,000만 원까지 늘어난다. 대필 출판은 책 출간이 아니라는 말이 있다.

'책을 출간 한다.'기 보다는 '책을 산다.'라는 말이 더 가깝다. 그래서 원고를 직접 써본 사람과 안 써본 사람 차이는 하늘과 땅 차이다. 대필 출판인지 아닌지 알 수 있는 방법이 있다. 그것은 방탄book기술력 코칭 때 배우게 된다.

책을 한 권 출간하면 2권 ~ 3권을 출간할 수 있는 가능성이 생기고 2권 ~ 3권을 출간하면 10권을 출간할 수 있는 가능성이 생기며 10권을 출간하면 100권을 출간할 수 있는 가능성이 생긴다. 한마디로 한 가지를 이루면 더 큰 것을 이룰 수 있는 개미 성취감이 누적되어 상상할 수 없는 결과가 나오는 것이다.

필자가 종이책 150권, 전자책 250권 총 400권 출간할 수 있는 비결 중에 한 가지가 독립(개인, 자가)출판인 방탄book기술력으로 출간 했다는 것이다.

지금 당신이 보고 있는 이 책의 내공, 가치 값어치가 책값의 1억 배는 가져간다는 것을 명심해야 한다. 단언컨대 대한민국, 세계 어디에서도 방탄book기술력을 배울 수 없다. 오직 방탄book사관학교에서만 가능하다.

4) 책 출간을 위한 체크리스트

- 오타 확인 (오타 체크를 하면 할수록 계속 나오는 이유)

다음은 오타 체크를 하면 할수록 계속 나오는 이유가 왜 그러는지 깨닫게 해주는 내용이다.

출간 후 대놓고 보이는 오타! 왜 여러 번 퇴고해도 못 찾을까? 읽지 않고 보기 때문이다. 내가 쓴 글은 이미 내용을 잘 알고 있다. 이 문장 다음에 무슨 내용이 나올지 이미 안다. 출판사 교정 교열 담당자도 마찬가지. 여러 차례 반복해서 읽다 보면 자연스럽게 내용이 외워진다. 그렇게 되면 '읽는다.'고 생각하지만 착각이다. 실제로는 그저 눈으로 '보기만' 한다.
글 전체를 텍스트가 아니라 하나의 이미지로 인식하는 것이다. 그러니 첫 줄부터 대놓고 오타가 있어도 발견하지 못하는 일이 생긴다. 남이 쓴 글에 오타가 잘 보이는 이유기도 하다. 내용을 모르니 자세히 '읽기' 때문이다.
이것이 퇴고 과정에서 한 번은 소리 내어 읽어야 하는 이유다. 김영하 작가님의 책 <보다 읽다 말하다>라는 제목이 정답을 말하고 있다. 보지 말고 입으로 소리 내어 읽어야 한다.

<네이버 블로그 카루의 프리랜서 라이프>

오타 체크하는 방법이 여러 가지가 있다. 필자가 하는 방법을 소개하겠다. 네이버 맞춤법 검사, 한국어 맞춤법/문법 검사기다. 가장 많이 사용하는 것이 네이버 맞춤법 검사기다. 100% 정확하지는 않지만 간접적인 퇴고하기 위한 오타 체크로는 쓸만하다.

필자가 하는 방식은 이렇다.
1차로 작업해 놓은 원고 내용을 복사해서 네이버 맞춤법 검사기에 300자 이하로 붙여 넣기 하고 몇 백번 반복으로 전체 원고 오타 체크한다. 2차로 직접 목소리를 내면서 읽고 오타 체크를 한다. 3차로 원고 전체 인쇄를 해서 3자에게 오타체크를 부탁한다. (같은 분야 종사자, 책 분야 종사자, 아내, 친구, 지인...)

원고 퇴고는 오로지 글 오타 체크가 주목적이 아니다. 퇴고의 주목적은 자신이 쓴 글을 다시금 정리하고 다듬어서 자신 분야 삼성(진정성, 전문성, 신뢰성)을 향상, 선한 영향력을 끼치기 위한 인생, 사람들에게 도움이 되는 인생, 세상에 필요한 사람이 되기 위한 인생, 지혜로운 인생을 살아가기 위한 행동을 하게 만드는 작업이다.

퇴고를 편하게 하고 싶다면 교정, 교열 전문가에게 맡겨도 된다.

A4 기준 / 글자 크기 10 / 줄 간격 160%
장당 1,000원 ~ 10,000원
(100페이지: 1,000*100= 100,000원)
(100페이지: 5,000*100= 500,000원)
A5는 500원 ~ 5,000원

전문가 일지라도 100% 오타 체크가 되지 않는다. 1차 체크하고 받아서 자신이 체크하고 다시 보내면 2차 체크하고 자신이 체크하는 식으로 3차까지 하고 3차 이후에는 추가 비용이 발생한다.

퇴고, 탈고 (종이책 출간을 위한 최종 점검)

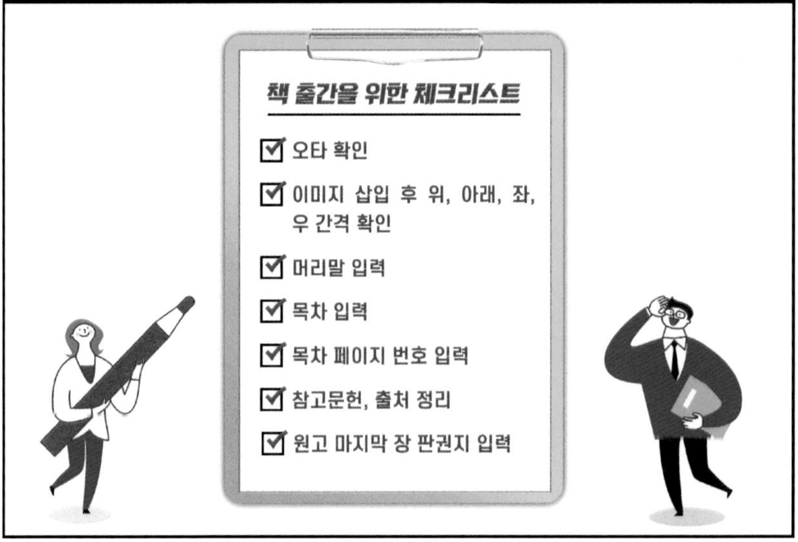

- 이미지 삽입 후 위, 아래, 좌, 우 간격 확인

한글(HWP)원고에 JPEG 파일을 삽입 하면 JPEG 이미지가 한글 규격 세팅해 놓은 규격대로 위, 아래, 좌, 우 변화 없이 삽입되는데 줄 간격은 맞지 않아서 이미지를 한 장씩 맞춰 줘야 한다.

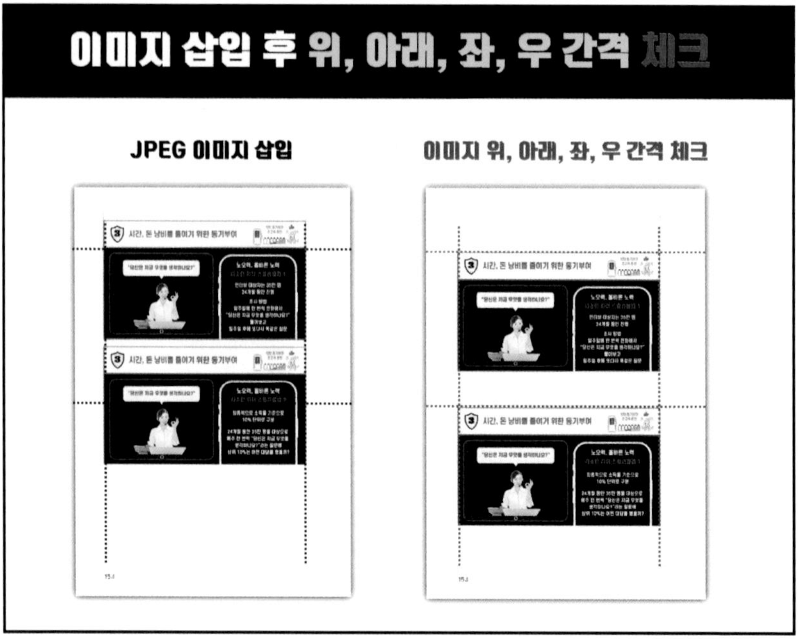

- 머리말 입력

머리말의 국어사전 뜻.

책이나 논문 따위의 첫머리에 내용이나 목적 따위를 간략하게 적은 글. 말이나 글 따위에서 본격적인 논의를 하기 위한 실마리가 되는 부분.

<국어사전>

간단히 정리를 하면 책이 추구하는 목표, 방향이라고 생각하면 된다. 다음으로 나오는 2권의 책 머리말을 참고하자. 《300만원 동기부여 강의》, 《1조 리더십 강의》

방탄동기부여 PPT를 《300만원 동기부여 강의》 책으로 출간 했던 머리말.

머리말

세상에 동기부여 못하는 사람은 없다. 단지 동기부여 잘하는 방법을 모를 뿐이다.

특허청 등록! 등록 번호: 제 40-2072344 호

[최보규 자기계발코칭 창시자]

20,000명 심리 상담, 코칭 / 15년 2,000권 독서

자기계발서 100권 출간 / 강사 15년, 강의 6,000회

7G 직업

(출판사 대표, 작가, 심리 상담사, 코칭 전문가, 강사, 유튜버, 한집의 가장)

45년간 습관 320가지 만듦...

많은 경력과 시행착오, 대가 지불, 인고의 시간을 통해 알게 된 동기부여를 세계 최초로 공개한다.

스마트폰은 사용하지 않아도 배터리가 소모되듯 동기부여 또한 숨만 쉬어도 소모가 된다. 누군가에 의해서 충전하면 하루(1일) 가지만 초고속 충전하는 방법을 알면 100년 지속할 수 있다.

어떤 강의에서도 말하지 못한 동기부여!

어떤 강사도 말하지 못한 동기부여!

어떤 책에도 없는 동기부여!
어떤 영상에서도 볼 수 없는 내용의 동기부여!

방탄리더십 PPT를《1조 리더십 강의》책으로 출간 했던 머리말.

머리말

3고(고물가, 고금리, 고환율) 시대, 포노 사피엔스 시대, 4차 산업 시대, AI시대, 챗GPT 시대... 빠르게 변하는 현실 속에서 점점 더 힘들어지는 상황을 극복하고 차별화 리더십이 아닌 초월 리더십으로 업데이트하기 위한 방탄리더십 5단계 시스템!

1단계
노벨상 수상자 리더십, 성공한 리더의 리더십은 다 잊어라! 4차 산업 시대는 4차 리더십인 방탄 리더십 업데이트를 통해 천재지변 리더가 아닌 천재일우 리더
2단계
스트레스 관리, 마인드컨트롤이 잘 되는 리더 자존감, 멘탈 배터리 고속 충전하는 방법
3단계
삼성(진정성, 전문성, 신뢰성)을 높이는 습관을 동해 리더 행복 초고속 충전하는 방법
4단계

리더 자기계발, 동기부여책 200권, 영상 300개, 교육을 들어도 리더 자기계발, 동기부여가 안 되는 이유

5단계

퇴사를 막고 인재가 오래 머물게 하는 방탄 리더 품위 유지의무 10계명

리더는 누구나 하지만 방탄 리더는 아무나 못한다.

방탄 리더 1명이 10만 명을 변화시키고 먹여 살린다.

누구나 방탄 리더가 될 수 있었다면 난 절대로 방탄 리더를 선택하지 않았을 것이다.

어떤 강의에서도 말하지 못한 리더십!

어떤 강사도 말하지 못한 리더십!

어떤 책에도 없는 리더십!

어떤 영상에서도 볼 수 없는 내용의 리더십!

최보규 천재일우 멘토

천재일우 멘토 코칭전문가

"당신은 제가 좋은 사람이 되고 싶도록 만들어요!" 라는
마음을 들게 하여 실천하게 만드는
천재일우 멘토가 되어 주겠습니다.
잘난 멘토가 아닌 진실한 멘토가 되어 주겠습니다.
대단한 멘토가 아닌 좋은 멘토가 되어 주겠습니다.
멋진 멘토가 아닌 따뜻한 멘토가 되어 주겠습니다.
유명한 멘토가 아닌 필요한 멘토가 되어 주겠습니다.

천재일우 멘토 코칭전문가 최보규

– 목차 입력

목차는 책 전체 흐름을 알려주는 곳이고 책을 구매할 때 디테일하게 보는 곳이다. 그래서 시중에 같은 분야에 있는 책들과 차별화를 느낄 수 있는 목차 문구를 만들어야 한다.

책 내용과 동떨어지지 않고 “어라! 이 책 목차는 같은 분야에 책들과 다르다. 신선하다. 호기심이 생긴다.”라는 느낌을 주어야 한다. 다음으로 나오는 출간했던 《300만원 동기부여 강의》 책 목차를 참고하자.

책 목차

목차 입력

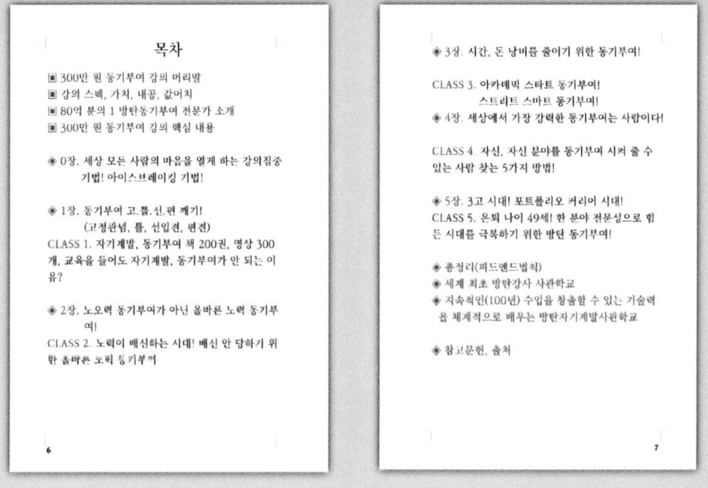

목차

▣ 300만 원 동기부여 강의 머리말
▣ 강의 스펙, 가치, 내공, 값어치
▣ 80억 분의 1 방탄동기부여 전문가 소개
▣ 300만 원 동기부여 강의 핵심 내용

◈ 0장. 세상 모든 사람의 마음을 열게 하는 강의집중 기법! 아이스브레이킹 기법!

◈ 1장. 동기부여 고.틀.선.편 깨기!
(고정관념, 틀, 선입견, 편견)
CLASS 1. 자기계발, 동기부여 책 200권, 영상 300개, 교육을 들어도 자기계발, 동기부여가 안 되는 이유?

◈ 2장. 노오력 동기부여가 아닌 올바른 노력 동기부여!
CLASS 2. 노력이 배신하는 시대! 배신 안 당하기 위한 올바른 노력 동기부여

6

◈ 3장. 시간, 돈 낭비를 줄이기 위한 동기부여!

CLASS 3. 아카데믹 스타트 동기부여!
스트리트 스마트 동기부여!
◈ 4장. 세상에서 가장 강력한 동기부여는 사람이다!

CLASS 4. 자신, 자신 분야를 동기부여 시켜 줄 수 있는 사람 찾는 5가지 방법!

◈ 5장. 3고 시대! 포트폴리오 커리어 시대!
CLASS 5. 은퇴 나이 49세! 한 분야 전문성으로 힘든 시대를 극복하기 위한 방탄 동기부여!

◈ 총정리(피드엔드법칙)
◈ 세계 최초 방탄강사 사관학교
◈ 지속적인(100년) 수입을 창출할 수 있는 기술력을 체계적으로 배우는 방탄자기계발사관학교

◈ 참고문헌, 출처

7

– 목차 페이지 번호 입력

원고 1페이지부터 마지막 페이지까지 한 장씩 보면서 페이지 번호를 입력하면 된다. 페이지 번호가 틀리면 안 되기에 페이지 번호 입력한 다음에 한 번 더 확인해 주면 좋다. 방탄동기부여 PPT를 《300만원 동기부여 강의》 책으로 출간했던 목차 페이지 번호를 참고하자.

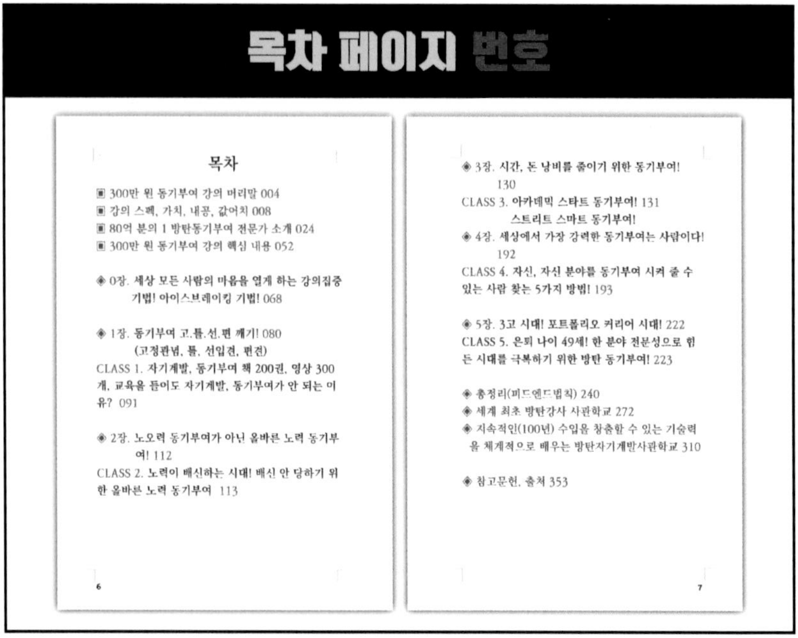
목차 페이지 번호

목차

\- 참고문헌, 출처 정리

이미지, 스토리텔링, 책에서 발췌한 스토리텔링, 기사 내용, 보도 자료, 영상 정리한 내용, 유튜브 영상을 정리한 내용 등이 있다면 출처를 정확하게 밝혀야 한다.
출처를 남기지 않아 법적 조치(저작권법)를 당할 수도 있다는 것을 명심하자.

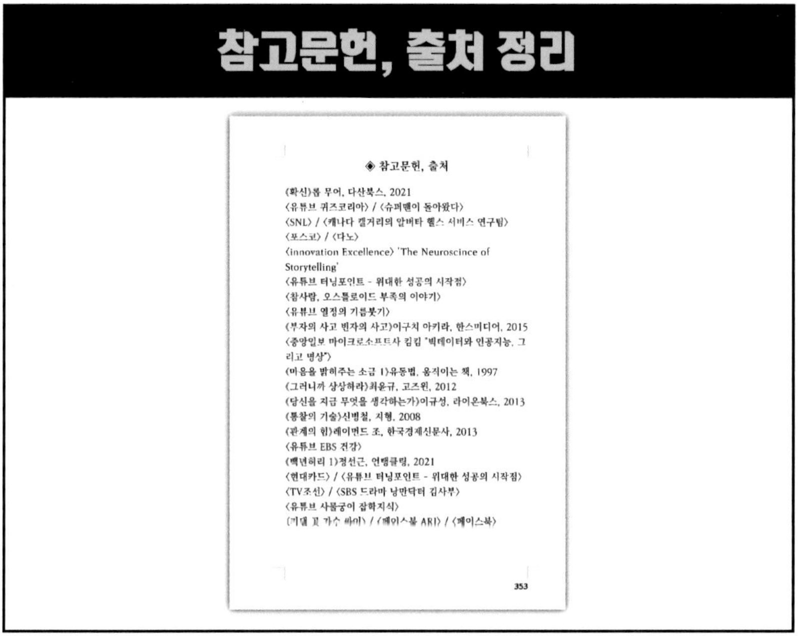

◈ 참고문헌, 출처

〈확신〉롭 무어, 다산북스, 2021
〈유튜브 퀴즈코리아〉 / 〈슈퍼맨이 돌아왔다〉
〈SNL〉 / 〈캐나다 캘거리의 알버타 헬스 서비스 연구팀〉
〈포스코〉 / 〈다노〉
〈innovation Excellence〉 'The Neuroscince of Storytelling'
〈유튜브 터닝포인트 - 위대한 성공의 시작점〉
〈참사람, 오스틀로이드 부족의 이야기〉
〈유뷰브 열정의 기름붓기〉
〈부자의 사고 빈자의 사고〉이구치 아키라, 한스미디어, 2015
〈중앙일보 마이크로소프트사 킴킴 "빅데이터와 인공지능, 그리고 명상"〉
〈마음을 밝혀주는 소금 1〉유동범, 움직이는 책, 1997
〈그러니까 상상하라〉최윤규, 고즈윈, 2012
〈당신을 지금 무엇을 생각하는가〉이규성, 라이온북스, 2013
〈통찰의 기술〉신병철, 지형, 2008
〈관계의 힘〉레이먼드 조, 한국경제신문사, 2013
〈유튜브 EBS 건강〉
〈백년허리 1〉정선근, 언탱글링, 2021
〈현대카드〉 / 〈유튜브 터닝포인트 - 위대한 성공의 시작점〉
〈TV조선〉 / 〈SBS 드라마 낭만닥터 김사부〉
〈유튜브 사물궁이 잡학지식〉
〈기댈 꼬 가수 싸이〉 / 〈페이스북 ARI〉 / 〈페이스북〉

353

- 원고 마지막 장 판권지 입력

출판의 중요한 정보가 있는 마지막 페이지다.

bookk출판사 양식을 참고하고 이미지는 출간 승인 완료된《300만원 동기부여 강의》책 판권지다.

어린 왕자(제목을 적어주세요)

발　행 | 2024년 00월 00일
저　자 | 생텍쥐 페리(저자명, 필명을 적어주세요)
펴낸이 | 한건희
펴낸곳 | 주식회사 부크크
출판사등록 | 2014.07.15.(제2014-16호)
주　소 | 서울특별시 금천구 가산디지털1로 119 SK트윈타워 A동 305호
전　화 | 1670-8316
이메일 | info@bookk.co.kr

ISBN |

www.bookk.co.kr

판권지

(종이책 출간을 위한 최종 점검)

300만원 동기부여 강의

(동기부여 일타강사! 동기부여 사용 설명서!)

발 행 | 2023년 11월 11일
저 자 | 최보규
편 집 | 서윤희
디자인 | 최보규
마케팅 | 최보규
펴낸이 | 한건희
펴낸곳 | 주식회사 부크크
출판사등록 | 2014.07.15.(제2014-16호)
주 소 | 서울특별시 금천구 가산디지털1로 119 SK트윈타워 A동 305호
전 화 | 1670-8316
이메일 | info@bookk.co.kr

ISBN |

www.bookk.co.kr

354

2. 자비출판이 1권 평균 300만 원 발생한다. 누군가는 100권 출간하는데 300,000,000원이 들어가고 누군가는 100권 출간하는데 0원이 들어간다.

필자가 방탄book기술력을 통해 부크크출판사(종이책, 전자책), 유페이퍼(전자책)에서 3년 동안 종이책 150권, 전자책 250권 총 400권을 등록하고 출간할 수 있었던 부크크출판사의 등록 매뉴얼을 시작하겠다.

시중에 출판사 90%가 책을 대량으로 생산한 후 재고를 판다. 그래서 자비출판이 기본 300만 원부터 시작을 하는 이유다. 부크크출판사(자가출판)는 출판 비용이 0원인 이유가 POD(책을 미리 생산하지 않고 주문이 들어오면 필요한 수량만 생산 시스템) 시스템이여서 가능하다.

종이책 등록 매뉴얼, 출판사 등록 매뉴얼을 배우기 위해서는 가장 먼저 등록할 출판사의 운영 방식을 알아야 된다. 다음은 부크크출판사(자가출판)의 운영 방식내용이다.

POD, 자가출판 플랫폼 "부크크(BOOKK)"
대량으로 책을 생산한 후 재고를 판매하는 방식으로 운

영되던 출판 산업에 새로운 변화를 가져온 출판 플랫폼 ‘부크크’

책을 먼저 생산하고 고객에게 주문을 받아서 판매하던 방식을 고객이 주문한 다음 수량에 맞게 생산해서 판매하는 방식 필요한 만큼의 책 제작이 가능해져, 재고 부담과 보관비용이 사라졌습니다. 출판 비용도 ‘0’원이 되었습니다.

이로써 세상에 알려지지 않았던 소중한 이야기들이 한 권의 책으로 탄생할 수 있게 되었습니다.

그렇게 10년이 흐른 지금 출간 도서 31,618종, 출간 저자 28,867명 이야기들이 ISBN 발급받은 한 권의 책이 되어 다양한 독자들에게 전해지고 있습니다.

원고와 표지 디자인만 있다면 부크크에서 출판이 가능합니다! 대부분의 경우 논스톱 출판이 가능하지만, 특별한 경우에는 반려되기도 해요. 반려 사유 수정 후 다시 제출해 주시면, 재심사를 도와드립니다. 교정&교열, 표지 디자인이 필요하시다면 작가 서비스에서 구매도 가능합니다. 주문 제작 방식으로 출판 과정에서 발생되는 비용&재고 ‘0’원(최소 주문 1권)

부크크는 책 제작이 아닌 책 주문 후 정산해 드리는 방식이기 때문에 출간 비용이 없습니다.

부크크 내 사이트 판매 기준: 인세 컬러 15%, 흑백 35%, 전자책 70%. 부크크에서 제작한 책은 대형 유통사에서 판매하실 수 있습니다. 부크크와 인세가 다릅니다. 흑백 15%, 컬러 10% 전자책은 부크크에서만 판매가 가능합니다.
온라인 유통망 확보(교보, 예스24 ,알라딘, 카카오 브런치 스토리, 북센 등)
10년이 넘는 시간 동안 부크크는 작가 분들께서 더 쉽고 편하게 책을 만들 수 있는 방법을 찾기 위해 고민하고, 다양한 시도를 해왔습니다.
그 결과 현재의 5단계 원스톱 출판 서비스가 제공되고 있습니다. 서비스는 아래와 같은 순서로 구성되어 있으며, 전자책의 경우 '도서 형태' 카테고리를 제외한 4단계로 구성되어 있습니다.
도서 형태(종이책) → 원고 등록 → 표지 디자인 → 가격 정책 → 최종 확인

<부크크(bookk)출판사>

누구나 노오력은 한다. 그래서 노력이 배신하는 시대가 되어 버렸다. 노오력만 하니 시간, 돈 낭비가 되어 결과도 나오지 않는다. 올바른 노력을 해야만 시간, 돈 낭비를 최소의 비용으로 최대의 효과를 내어 큰 결과물을 만들어 낼 수 있다.

이제는 올바른 노력을 알려주는 방탄book기술력을 활용

한 책 출간, 출판사 등록 매뉴얼을 통해 자신 분야와 6가지 수입을 연결시켜 월세, 연금성 수입이 나오는 무인 시스템을 만들자. 종이책 150권, 전자책 250권 총 400권 출간한 비밀을 모두 오픈한다. 기대해도 좋다. 책 출간, 출판사 등록 매뉴얼 시작한다.

네이버에서 부크크를 검색하면 홈페이지가 나온다. 홈페이지에 들어가서 회원가입을 하고 메인 화면에 책 만들기를 클릭하면 5단계로 쉽게 종이책 만들기가 나온다. 클릭해서 들어가면 책 출간 1단계로 진입한다.

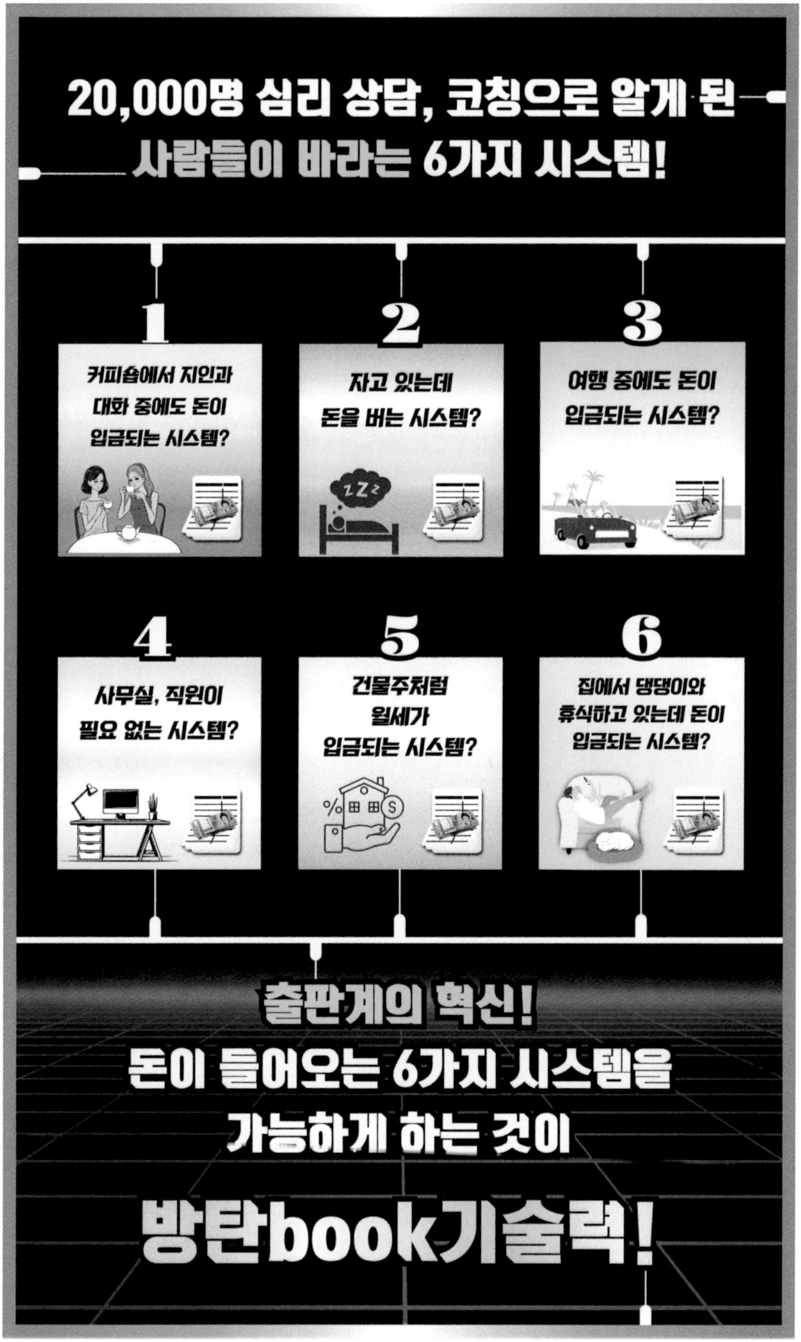
20,000명 심리 상담, 코칭으로 알게 된
사람들이 바라는 6가지 시스템!
1
커피숍에서 지인과
대화 중에도 돈이
입금되는 시스템?
2
자고 있는데
돈을 버는 시스템?
3
여행 중에도 돈이
입금되는 시스템?
4
사무실, 직원이
필요 없는 시스템?
5
건물주처럼
월세가
입금되는 시스템?
6
집에서 댕댕이와
휴식하고 있는데 돈이
입금되는 시스템?
출판계의 혁신!
돈이 들어오는 6가지 시스템을
가능하게 하는 것이
방탄book기술력!

도서형태
원고등록
표지디자인
가격정책
최종확인
도서 컬러를 선택해주세요!
흑백
(표지-컬러, 내지-흑백)
컬러
(표지-컬러, 내지-컬러)
①
책 규격을 선택해주세요!
46판
127 * 188 mm
A5
148 * 210 mm
B5
182 * 257 mm
문제지, 잡지
A4
210 * 297 mm
문제지, 잡지
②
표지 재질을 선택해주세요!
아르떼(감성적인)
스노우(대중적인)
스노우(광택있는)
스노우 250g, 유광코팅
③
책 날개를 선택해주세요!
④
날개 있음
날개 없음
> 무료표지는 책날개를 지원하지 않습니다.
> A4사이즈에서는 날개를 사용할 수 없습니다.
《300만원 동기부여 강의》등록 매뉴얼
임시서재
Step2 원고등록 ⑥
제본 무선 제본
색상 표지 컬러 내지 컬러
규격 A5 148 * 210 mm
표지 스노우(광택있는)
스노우 250g, 유광코팅
내지 백색모조지 100g
장수 354 ⑤ P
면수
날개 있음
두께 21.07 mm
면지 백회색 앞뒤 1장
예상판매가격 34,700 원
예상수익 347,000 원
100부 판매시
저자 본인가 29,495 원
소장용가격 48,580 원
종이샘플 요청
원고서식 받기

- 1단계. 도서 형태

① 책표지. 책 표지는 컬러만 있고 책 내지는 흑백, 컬러로 할 것인가 선택한다. 컬러로 하면 2배 정도 책값이 올라간다고 보면 된다. 《300만원 동기부여 강의》 책은 컬러로 선택을 했다. 이유는 이미지가 많고 일반 책들이 흑백으로 하는 경우가 많아서 차별화를 두기 위해 컬러로 했다. PPT로 책을 출간한다면 컬러로 해야 한다. 이미지가 많은 것도 있지만 SNS 시대에 대중들의 시선이 화려한 영상, 사진에 노출이 많아져서 보는 수준이 높아졌다. 책이 흑백이라면 대중들이 어떻게 보겠는가? 시대에 맞게 컬러풀하게 가야 한다.

글만 있다면 흑백으로 하면 된다. 이미지가 있다면 책 내지를 컬러로 하는 게 좋다.

② 책 규격. A5 책 규격이다. 148*210mm 일반도서, 소설, 에세이

③ 표지 재질. 표지 컬러다. 스노우(광택있는) 스노우 250g, 유광코팅) 종이 샘플을 요청해서 확인할 수도 있다. 별표가 있는 곳 종이 샘플 요칭 클릭히고 받을 주소 입력하면 무료로 받아 볼 수 있다.

필자는 150권 출간하면서 80%는 스노우(광택있는)를

선택했다.

④ 책날개. 책날개가 있는 책과 날개가 없는 책 차이점은 이미지를 보고 판단하길 바란다.

날개가 없다고 책의 가치가 떨어지는 건 아니다.
날개가 있다고 책의 가치가 올라가는 것 또한 아니다.
하지만 이런 말이 있다. "신은 사람의 마음을 보지만 사람은 겉모습을 본다."라는 말처럼 날개가 없는 책과 날개가 있는 책을 보는 사람들에게 선택받을 확률은 100명이면 100명이 날개가 있는 책을 선택한다는 것이다.

당연히 표지가 아무리 좋아도 책 내용이 좋아야 선택하겠지만 하루만 해도 사람들은 스마트폰으로 대중매체, 유튜브, sns... 등에서 수천 개의 화려한 영상, 이미지를 본다. 이런 환경에서 자신 책이 선택받기 위해서는 사람들의 환경, 문화, 심리, 트랜드에 맞게 화려하게 만들어야 한다. 화려하게 해도 선택받을까, 말까이다.

선택은 자신이 하는 것이지만 20,000명 심리 상담, 코칭 하면서 알게 된 것은 책날개를 만들지 않고 책을 출간 했다가 후회해서 다시 책날개를 만들었다는 것을 참고해라.

책 날개 유, 무 차이점 비교

세상에는 3부류에
동기부여를 배우는 사람이 있다!
300만원 동기부여 강의
스마트폰은 사용하지 않아도 배터리가 소모되듯
동기부여 또한 숨만 쉬어도 소모가 된다.
"세계 최초" 동기부여 초고속 충전!
동케시(동기부여 케어 시스템)
최보규 동기부여 일타강사
BOOKK

세상에는 3부류에
300만원 동기부여 강의
"세계 최초" 동기부여 초고속 충전!
최보규 동기부여 일타강사
BOOKK

⑤ 페이지 수. 장수, 페이지 수다. 페이지 수에 따라 책값이 정해진다. 부크크출판사에서는 50페이지 이하는 출간이 안되는 점을 참고하자. 평균 책 페이지는 250쪽이다.

방탄book기술력 코칭을 하다 보면 이런 질문을 하는 사람이 있다.

"100페이지로 만들면 책값이 낮아져서 대중들이 더 쉽게 책을 사지 않을까요? 박리다매(薄利多賣: 물건을 평균보다 싼 가격에 많이 팔아 이득을 극대화하는 판매 전략) 전략으로 하면 좋지 않나요?"

한번 생각해 보자. 시중에 있는 책 평균 250페이지, 한 권 가격 15,000원이다. 예를 들어 100페이지, 책 가격을 5,000원으로 한다고 했을 때 사람들이 싼 책을 보는 것이 아니다. 사람의 심리는 평균에서 많이 내려가면 가치, 질이 안 좋다고 판단한다. 가장 중요한 것은 책을 보는 사람들 수준이 높다는 것이다. 책을 보는 사람보다 책을 안 보는 사람들이 몇 배로 많지만 책을 보는 사람들은 수준이 높아서 저렴한 책보다는 돈을 지불하더라도 평균보다 수준 높은 책을 원한다는 것이다.

책을 안 보는 사람을 위해 책을 쓰는 것이 아니다. 책을 좋아하는 사람들을 대상으로 책 출간을 하는 것이다. 그래서 책을 쓸 때 수준 높은 책을 써야 되고 표지만 보더라도 "수준이 높겠다." "늘 책들이 비슷비슷해서 지겨웠는데 이 책은 다르겠는데."라는 책을 만들어야 한다. 표지만 보더라도 책값에 값어치를 할 거 같은지 못 할 거 같은 지가 나온다. 책 표지에 대한 세부적인 내용은 뒤에 책 표지 등록 때 나올 것이다.

⑥ 다음 페이지. 원고 등록으로 페이지로 넘어간다. 원고 등록 페이지가 실질적인 책 등록 시작이다.

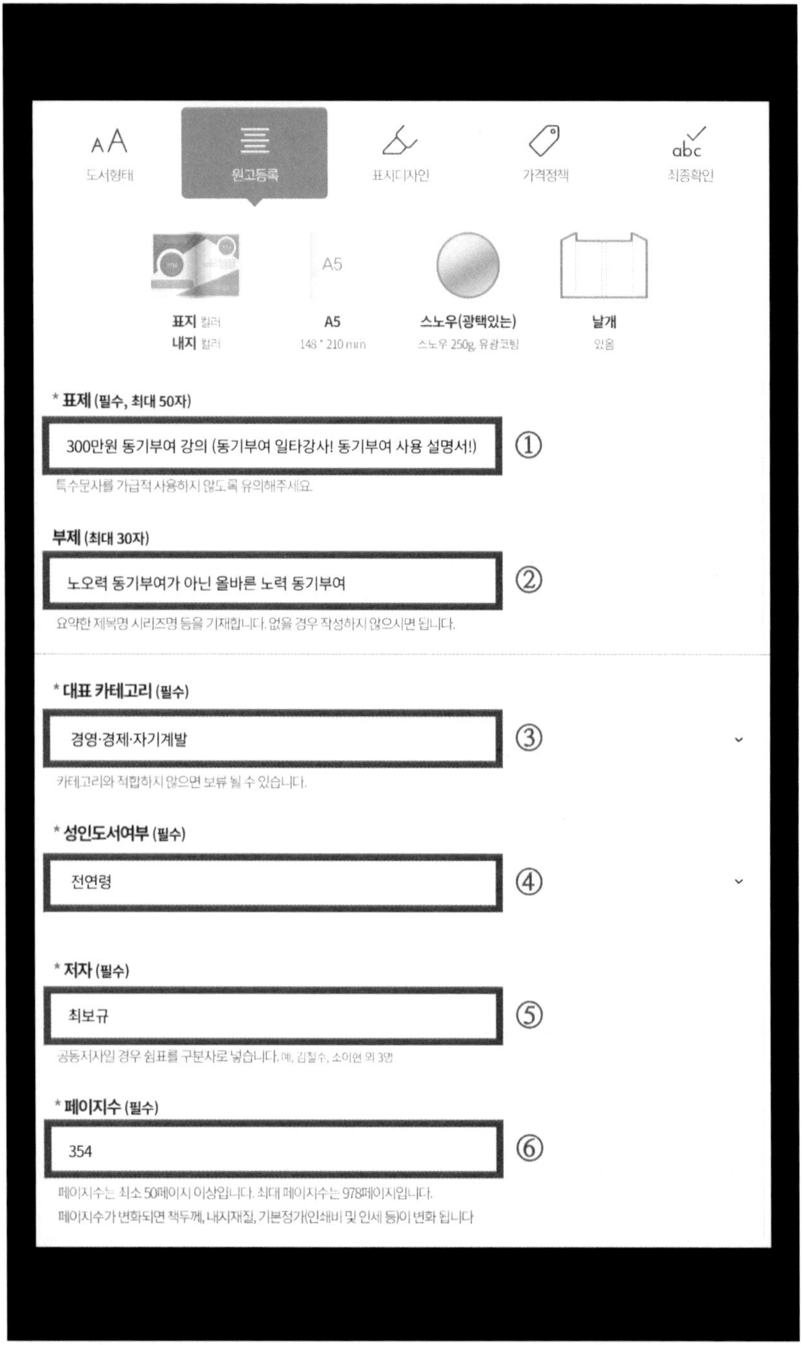
도서형태
원고등록
표지디자인
가격정책
최종확인
표지 컬러
내지 컬러
A5
A5
148 * 210 mm
스노우(광택있는)
스노우 250g, 유광코팅
날개
있음
* 표제 (필수, 최대 50자)
300만원 동기부여 강의 (동기부여 일타강사! 동기부여 사용 설명서!)
①
특수문자를 가급적 사용하지 않도록 유의해주세요.
부제 (최대 30자)
노오력 동기부여가 아닌 올바른 노력 동기부여
②
요약한 제목명 시리즈명 등을 기재합니다. 없을 경우 작성하지 않으시면 됩니다.
* 대표 카테고리 (필수)
경영·경제·자기계발
③
카테고리와 적합하지 않으면 보류 될 수 있습니다.
* 성인도서여부 (필수)
전연령
④
* 저자 (필수)
최보규
⑤
공동저자일 경우 쉼표를 구분자로 넣습니다. 예, 김철수, 소이현 외 3명
* 페이지수 (필수)
354
⑥
페이지수는 최소 50페이지 이상입니다. 최대 페이지수는 978페이지입니다.
페이지수가 변화되면 책두께, 내지재질, 기본정가(인쇄비 및 인세 등)이 변화 됩니다

- 2단계. 원고 등록

① 표제(책 제목). 책 제목을 책 내용에 맞게 만드는 것도 중요하지만 더 중요한 것은 자신 책 분야가 시중에 나와 있는 책 제목과 차별화가 느껴지게 책 제목을 만들어야만 선택받을 확률이 높아진다는 것이다. 그래서 자신 책 제목을 만들기 전에 시중에 있는 서점에 들어가서 자신 분야를 검색을 해보고 전체적으로 어떤 제목들이 많으며 베스트셀러 책 제목들은 어떤 제목을 쓰는지 확인하는 것은 책 제목 짓는데 기본이다.

자녀가 태어날 때 이름을 대충 짓는가? 인기 있는 이름들을 쓰는 경우도 있지만 100년 인생을 이름처럼 살아가라고 신중하게 짓는다. 책도 마찬가지다. 인생을 살아가다가 이름을 개명하듯이 책 이름도 바꿀 수 있지만 처음부터 제대로 지어야만 책의 가치가 더해지는 것이다. 필자의 책을 예로 들겠다. 출간한 책 제목인《300만원 동기부여 강의》를《동기부여 강의》로 만들었다면? 뻔하고, 식상한 책이라는 선입견이 생겨버려서 읽을 마음이 들지 않을 것이다. 기존에 동기부여 책과 다른 "이건 뭐지? 이런 책 처음 보는데?"라는 마음이 들어야 한다. 다만 제목이 튀지 않아도 표지를 럭셔리하게 만든다면 관심을 가질 수도 있다. 다음으로 나오는 이미지를 보면서 책 제목의 중요성을 참고하자.

책 제목 비교, 차이점1

예시

출간한 책

NAVER 300만원동기부여강의

책 제목 비교, 차이점2

예시

출간한 책

NAVER 1조리더십강의

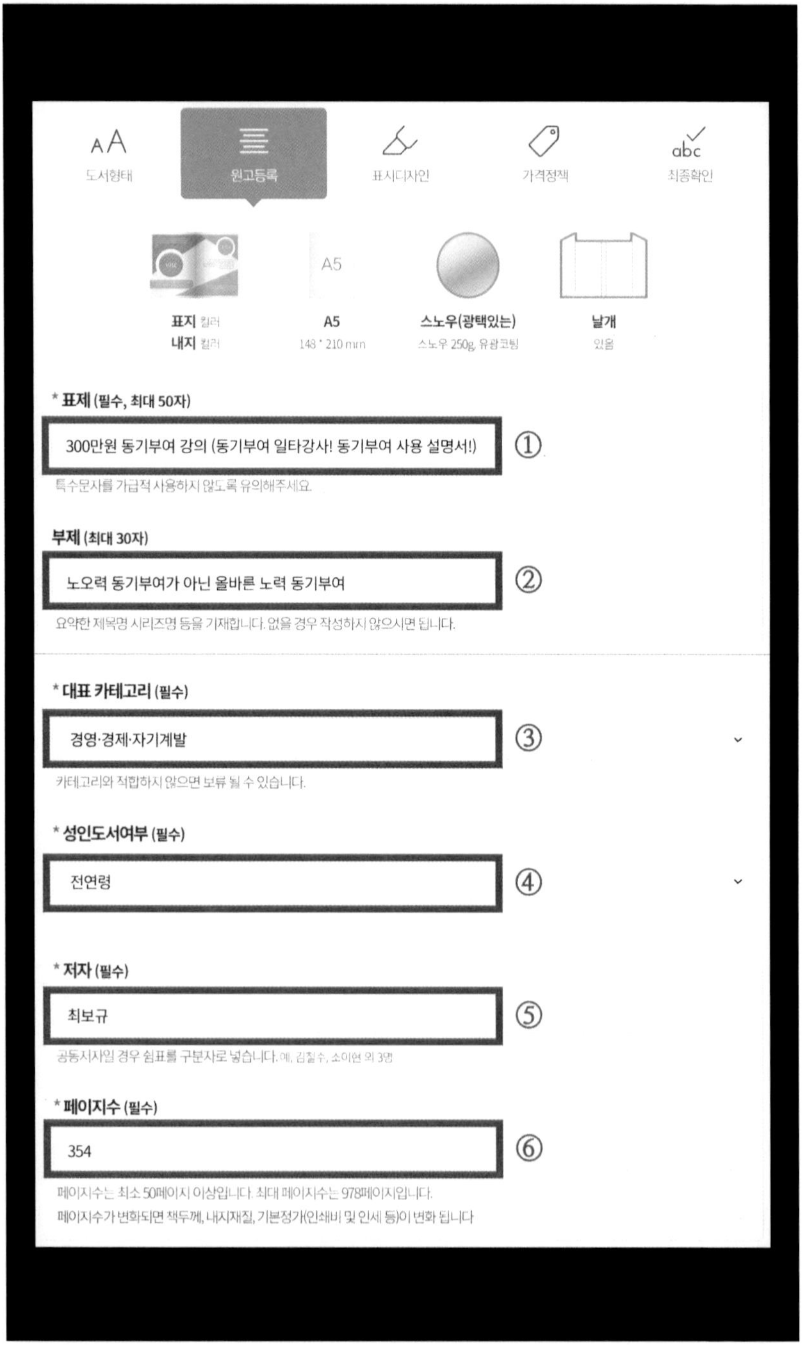
도서형태
원고등록
표시디자인
가격정책
최종확인
표지 칼러
내지 칼러
A5
148 * 210 mm
스노우(광택있는)
스노우 250g, 유광코팅
날개
있음
* 표제 (필수, 최대 50자)
300만원 동기부여 강의 (동기부여 일타강사! 동기부여 사용 설명서!)
①
특수문자를 가급적 사용하지 않도록 유의해주세요.
부제 (최대 30자)
노오력 동기부여가 아닌 올바른 노력 동기부여
②
요약한 제목명 시리즈명 등을 기재합니다. 없을 경우 작성하지 않으시면 됩니다.
* 대표 카테고리 (필수)
경영·경제·자기계발
③
카테고리와 적합하지 않으면 보류 될 수 있습니다.
* 성인도서여부 (필수)
전연령
④
* 저자 (필수)
최보규
⑤
공동지자일 경우 쉼표를 구분자로 넣습니다. 예, 김철수, 소이현 외 3명
* 페이지수 (필수)
354
⑥
페이지수는 최소 50페이지 이상입니다. 최대 페이지수는 978페이지입니다.
페이지수가 변화되면 책두께, 내지재질, 기본정가(인쇄비 및 인세 등)이 변화 됩니다

② 부제목. 요약한 제목명, 시리즈명 등을 기재한다. 없을 경우 작성하지 않아도 된다.
③ 대표 카테고리. 책 분야를 선택하는 곳이다. 자신 책 분야에 맞게 선택하면 된다. 강사라면 대부분 교육이기 때문에 경영, 경제, 자기계발을 선택하면 된다.
④ 성인도서 여부. 성인, 전 연령 둘 중에 하나 선택하면 된다.
⑤ 저자. 이름을 입력하면 된다. 공동저자일 경우는 쉼표로 구분해서 넣으며 된다. (예: 최보규, 최영웅 외 3명)
⑥페이지 수. 원고 총 페이지 수를 입력하면 된다. 페이지 수는 최소 50페이지 이상이어야 하고 최대 페이지 수는 978페이지다. 페이지 수에 따라서 책 두께, 내지 재질, 기본 정가(인쇄비 및 인세 등)가 정해진다.

#. 시중에 나와 있는 책 평균 가격 15,000원 / 책 페이지는 250페이지다. 페이지가 많으면 1권, 2권으로 쪼개서 출간하면 된다. (예: 400페이지라면 1권 200, 2권 200)

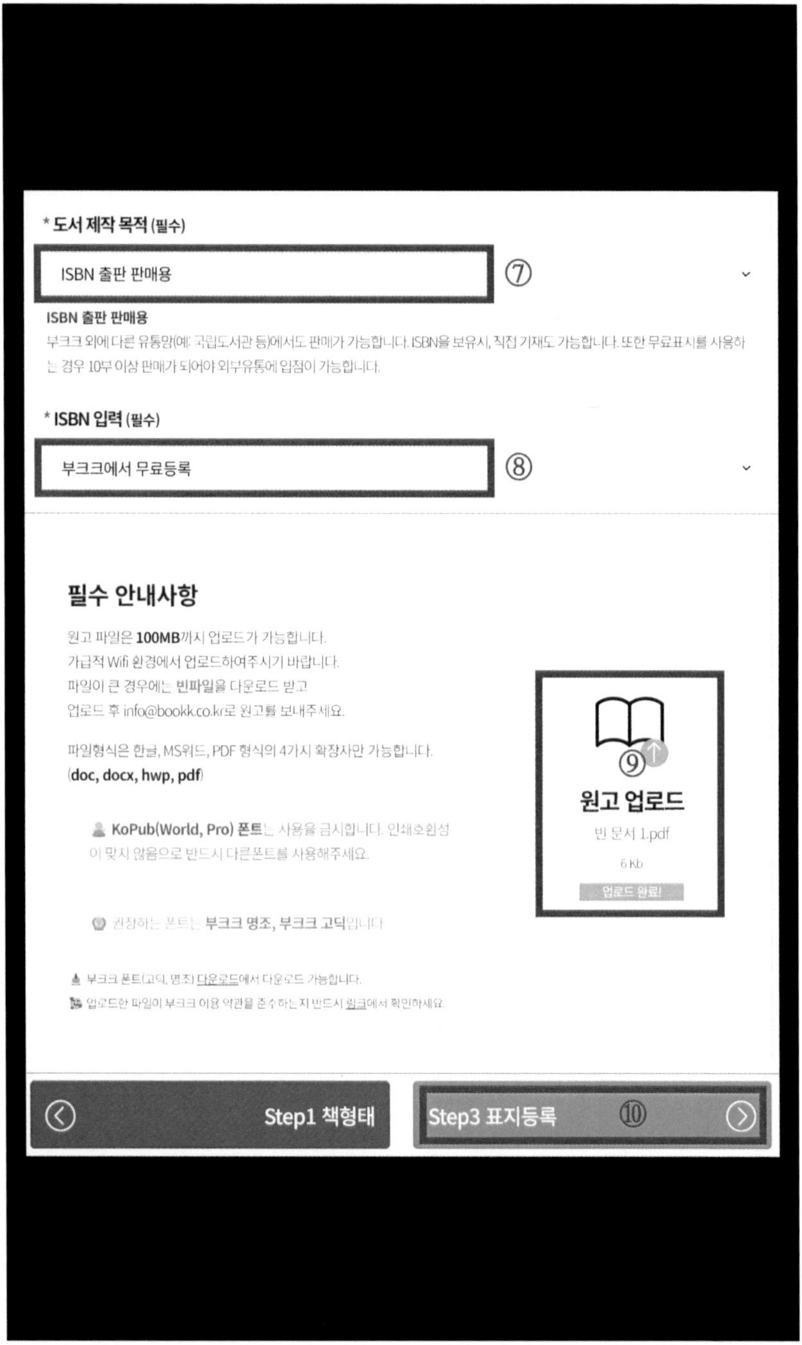
* 도서 제작 목적 (필수)
ISBN 출판 판매용
⑦
ISBN 출판 판매용
부크크 외에 다른 유통망(예: 국립도서관 등)에서도 판매가 가능합니다. ISBN을 보유시, 직접 기재도 가능합니다. 또한 무료표시를 사용하는 경우 10부 이상 판매가 되어야 외부유통에 입점이 가능합니다.
* ISBN 입력 (필수)
부크크에서 무료등록
⑧
필수 안내사항
원고 파일은 100MB까지 업로드가 가능합니다.
가급적 Wifi 환경에서 업로드하여주시기 바랍니다.
파일이 큰 경우에는 빈파일을 다운로드 받고
업로드 후 info@bookk.co.kr로 원고를 보내주세요.
파일형식은 한글, MS워드, PDF 형식의 4가지 확장자만 가능합니다.
(doc, docx, hwp, pdf)
KoPub(World, Pro) 폰트는 사용을 금지합니다. 인쇄호환성이 맞지 않음으로 반드시 다른폰트를 사용해주세요.
권장하는 폰트는 부크크 명조, 부크크 고딕입니다
부크크 폰트(고딕, 명조) 다운로드에서 다운로드 가능합니다.
업로드한 파일이 부크크 이용 약관을 준수하는지 반드시 링크에서 확인하세요.
⑨
원고 업로드
빈 문서 1.pdf
6 Kb
업로드 완료!
Step1 책형태
Step3 표지등록
⑩

⑦ 도서 제작 목적.
ISBN 출판 판매용, 일반 판매용, 소장용 3가지가 있다.
ISBN 출판 판매용은 부크크 외에 다른 유통망(예:국립도서관 등)에서도 판매가 가능하고 ISBN을 보유시, 직접 기재도 가능하며 무료표지를 사용하는 경우 10부 이상 판매가 되어야 외부 유통이 가능하다. ISBN을 단순하게 말을 하면 책의 주민등록번호라고 생각하면 된다. ISBN 번호가 있어야만 책을 판매하여 수입 창출 할 수 있는 조건이 주어진다.
일반 판매용은 외부 유통은 하지 않고 부크크 자체에서만 판매한다는 뜻이다.
소장용은 외부 유통은 하지 않고 부크크 자체에서도 판매하지 않는다는 뜻이며 '소장용' 말 그대로 자신만 본다는 뜻이다. 소장용으로 책을 출간하는 사람들은 자신 만족이나 가족, 소중한 사람들에게만 주기 위해서 만든다. 책 쓰기를 연습하기 위해서 소장용으로 만든 후에 다듬어서 다시 등록 후 심사, 승인받아서 외부 유통해서 수입을 창출하는 사람도 있다.

⑧ ISBN 입력. 부크크에서 무료 등록을 해 준다.
⑨ 원고 업로드. 원고 파일은 100MB까지 업로드가 가능하다. 파일이 큰 경우에는 빈 파일을 다운로드 받아서 업로드 후 info@bookk.co.kr로 원고를 보내면 된다.

이미지가 많은 원고는 100MB가 넘는 경우가 많다. 그래서 원고 업로드에 빈파일 hwp, 빈파일 pdf를 업로드하고 난 뒤에 부크크 메일로 원고 파일을 보내면 된다. 빈 파일 다운로드는 이미지에서 보면 빈 파일 글씨만 파란색이다. 빈 파일을 클릭하면 빈 파일을 다운로드가 된다. (hwp 빈 파일, pdf 빈 파일 2중에 하나) 다운로드 받은 파일을 원고 업로드 칸에 업로드하면 된다.

파일 형식은 한글, MS 워드, PDF 형식의 4가지 확장자만 가능하다. (doc, docx, hwp, pdf)
한글(hwp)에서 작업한 원고는 pdf파일로 변환해서 부크크출판사 메일로 보내면 된다.

⑩ 표지 등록 페이지 이동. 3단계 표지 등록 페이지로 넘어간다.

▶ 빈 파일 클릭 → 다운로드 된 한글 빈 파일 → 9번 원고 업로드에 삽입

#. 자체적으로 한글 빈 파일, PDF 빈 파일을 만들어서 업로드해도 된다.

표지디자인
BOOKK
무료 표지
직접 올리기
구매한 템플릿
⑪
업로드
업로드 완료
표지 주의사항
표지 파일은 100MB까지 업로드가 가능합니다.
jpg, 해상도(300dpi) 기준입니다.
로고선택
BOOKK
BOOKK
BOOKK
BOOKK ⑫
판형정보
규격 517.07 * 210mm
두께 21.07 mm
예시 일러스트 다운로드
색상 컬러
날개 있음
장수 354 Page
Step2 원고등록
Step4 가격정책 ⑬

- 3단계. 표지 디자인

⑪ 표지 업로드. 표지 파일은 100MB까지 업로드가 가능. 첨부 가능한 파일 형식은 JPG, PDF 2가지로 jpg, 해상도(300dpi) 기준.
⑫ 로고 선택. 책 표지 바탕색에 따라 로고 색을 선택할 수 있다.
⑬ 가격정책. 4단계 가격정책 페이지로 이동한다.

책 표지는 사람으로 비유를 하면 얼굴, 외모, 첫인상이고 표지가 책의 모든 것을 좌우하기도 한다.
첫인상 효과, 초두효과라는 심리적 용어가 있다. 사람의 외모, 태도, 언어, 의상 등을 보면서 평균적으로 7초 이내에 상대방에 대한 첫인상을 형성하게 된다.

책 표지도 첫인상 효과, 초두효과처럼 책 표지, 제목, 이미지를 보고 1차적으로 책을 초이스 할지 안 할지 판단한다.

지금 어떤 시대에 살고 있는가? 스마트폰으로 인해서 하루만 해도 영상, 이미지, 글... 눈이 아플 정도로 회려한 것을 수 만개는 본다. 한마디로 지금 시대 사람들은 예전에 비해 시각적인 수준이 높아졌다는 것이다.

이런 상황에서 책 표지, 제목, 이미지가 평범하거나 호기심을 유발, 궁금증 유발 "이런 책 표지는 처음 보는데 표지가 너무 신선하다. 표지가 럭셔리하다.", 보고 싶도록 만드는 표지를 만들어야만 선택할 확률이 높아지는 것이다. 다음은 지금 현실 속 사람들의 집중력에 대한 내용이다.

겨우 8초, 금붕어보다 못한 인간의 집중력
소위 'MZ'라고 불리는 요즘 젊은 세대는 어렸을 때부터 늘 새로운 자극으로 가득한 디지털 환경에 노출된 채 자랐다. 그래서인지 한 가지 주제에 오랫동안 집중하기 상당히 어려운 뇌 구조를 지녔다고 한다. 뭔가에 집중할 수 있는 시간(Attention Span)에 관한 연구를 살펴보자. 아동이 주의해서 집중할 수 있는 시간은 얼마나 될까? '자신의 나이×1분' 정도라고 한다. 6세 어린이는 약 6분 정도 집중할 수 있다는 뜻이다. 이 시간은 개인에 따라 차이가 있고, 몰입하면 10~15분까지는 늘어날 수 있다.

너무 지루하지도 않고 그렇다고 아주 재미있지도 않은 평범한 수업을 하고 있다고 하자. 십 대 학생들은 보통 수업을 듣기 시작하면 약 10분 후부터 집중력이 떨어진다. 일반적으로 이들이 뭔가에 주의해서 집중할 수 있는 시간은 20분을 넘기기 어렵다. 따라서 수업 시작 후

10~20분이 지나면 신경전달물질이 고갈된 학생들은 이내 집중에 어려움을 느끼고 주의가 산만해진다. 그래서 유튜브 영상의 평균 길이는 15~20분이고, 테드(TED) 강연 길이는 18분이다. 집중력을 감안해 메시지를 확실히 전달하기 위한 시간이다. 드롭박스의 마케팅 신화를 쓴 실리콘밸리 최고의 마케터 션 앨리스(Sean Ellis)가 한 말을 약간 각색하여 들어보자.

"고객의 주의 집중을 원하신다고요? 사업 규모의 확장을 위해서는 시장이 원하는 언어를 사용해야 합니다. 언어의 시장 적합성이 무엇보다 중요하죠. 잠재 고객의 마음을 움직일 수 있는 말을 상상해 보세요. 당신이 만든 제품을 고객이 마주할 때 어떻게 해야 가장 효율적으로 전달할 수 있을지 생각해 보셨나요? 고객이 좋아하지 않는 언어로 구애한다면 실패입니다. 제품 가치를 알아줄 상대방이 없는 곳에서 헛스윙을 하는 거라고 생각하면 됩니다."

여기서 왜 고객의 마음을 끌어당길 언어에 몰두해야 하는지 그 이유가 나온다. 스마트폰이 생기기 전 고객이 광고에 집중할 수 있는 시간은 12초였다. 이제는 8초로 뚝 떨어졌다. 9초인 금붕어보다 못하다.

주의집중 시간의 변화
12초 - 2000년 인간의 평균 주의 집중 시간
8초 - 2015년 인간의 평균 주의 집중 시간
9초 금붕어의 주의집중 시간

인간의 평균 주의 집중 시간 인간의 평균 주의 집중 시간 금붕어의 주의 집중 시간 왜 이런 일이 발생했을까? 주변의 수많은 자극에 적응하다 보니 주의력이 줄어들었다는 것이 통설이다. 생각해 보라. 우리는 매일매일 넘치는 정보의 홍수 속에서 살아가고 있다. 수시로 오는 문자와 카카오톡 메시지, 귀찮아 들여다보지도 않는 이메일처럼 하루하루 우리의 신경을 산만하게 하는 요소가 차고 넘친다. 그 결과 집중해서 주의를 지속하는 시간이 줄어드는 것은 당연한 결과다. 게다가 여러 일을 한꺼번에 하는 멀티태스킹형 업무 방식에 길들여진 젊은 세 대에게 이런 현상은 더욱 심각하게 다가올 수밖에 없다.

뇌 신경세포를 뜻하는 뉴런과 마케팅의 합성어인 뉴로 마케팅(Neuro Marketing)의 연구 결과를 보자. 브랜드의 색상이 소비자로 하여금 다양한 감정을 불러일으킨다고 한다. 소비자들이 상품을 구매하는 데 있어 시각적 효과가 약 95%를 차지한다고 하니, 디자인과 색감이 큐레이터에게는 아주 중요하다. 색은 브랜드를 인식하는 강력한 수단으로, 그리고 소비자의 신뢰를 확보하는 무기로 작용한다. 빨간색 코카콜라와 초록색 스타벅스 로고가 소비자의 지갑을 열게 하는 강력한 마케팅 도구로 활용되고 있다는 것은 마케팅 세계에서는 익히 아는 이야기다.

《감정 경제학》

금붕어의 집중력이 9초인데 지금 시대 사람들의 집중력이 8초라는 말이 씁쓸하기만 하다. 지금 현실 사람들의 심리를 알려주는 내용이었다. 어떤 분야든 지금 시대 사람들의 상태, 심리를 알아야만 공격적으로 영업, 마케팅을 할 수 있고 자신 분야 제품을 알릴 수 있는 것이다. **시각적인 효가가 95%를 차지한다는 것은 어마어마한 것이다. 그래서 책 표지 디자인이 중요하다고 말을 하는 것이다. 책 내용도 중요하지만 첫인상을 결정짓는 책 표지로 지금의 집중력 8초를 머물게 하지 못하면 끝이다.**

20,000명 심리 상담 코칭 하면서 알게 된 책을 선택하는 사람들의 평균적인 순서가 있었다.
첫 번째 책 표지
두 번째 책 제목
세 번째 책 목차

네 번째 작가 스펙, 내공

다섯 번째 책 가격

"신은 사람의 마음을 보지만 사람은 외모를 본다."라는 말이 있듯이 신은 표지를 가리지 않고 보지만 독자들은 표지에서 70% 선택, 목차에서 30% 선택한다.
제목, 책 내용도 중요하지만 책 표지도 제목, 내용만큼이나 중요하다. 그래서 책 표지에 모든 정성을 쏟아야 한다. 위 사진에서 형광 핑크 삼각형에 있는 무료 표지가 있다. 무료 표지는 부크크출판사 자체에서 무료로 제공하는 표지다.

위 사진에서 형광 핑크 동그라미에 있는 구매한 템플릿은 부크크출판사 홈페이지에서 있는 작가 서비스가 있다. 표지 디자인 전문가에서 일정에 돈을 주고 의뢰하는 곳이다. 작가 서비스에서 고급 표지, 표지 디자이너, 내지 디자인, 교정, 교열 유료 서비스를 이용 할 수가 있다.

도서형태
원고등록
표지디자인
가격정책
최종확인
무료 표지
직접 올리기
구매한 템플릿
표지 주의사항
표지 파일은 100MB까지 업로드가 가능합니다.
첨부 가능한 파일형식은 JPG, PDF 2가지로
jpg, 해상도(300dpi) 기준입니다.
PDF 미리보기 파일은 제공되지 않습니다.
⑪
업로드
300만원 동기부여 강의.pdf
32,965 Kb
업로드 완료
로고선택
BOOKK
⑫
판형정보
규격
517.07 * 210mm
두께
21.07 mm
예시
일러스트 다운로드
색상
컬러
날개
있음
장수
354 Page
Step2 원고등록
Step4 가격정책
⑬

유료서비스 가격

고급 표지 90,000원 ~ 160,000원.

표지 디자인 280,000원 ~ 400,000원.

내지 디자인 기본 40장 80,000원 ~

교정, 교열 10페이지 15,000원 ~

1권 쓰고 말 거라면 책 표지를 돈을 주고 만들면 된다. 하지만 책을 10권, 100권, 1,000권을 출간할 수 있는 기술력을 이 책에서 배우고 있는데 책 표지를 언제까지 돈 주고 만들 것인가? 책 표지 만드는 기술력을 배우면 100년 수입 창출을 할 수 있다. 종이책 1권 제작하면 전자책(PDF)은 자연스럽게 만들 수 있게 된다. 한마디로 종이책 1권을 출간하면 온라인에 1층을 가지고 있는 건물주가 되는 것이다. 필자는 종이책 150권, 전자책 250권 총 400권 출간했다. 한마디로 400층의 온라인 건물주라는 것이다.

월세, 연금성 수입이 얼마 정도 발생할 거 같은가? 앞에서도 언급을 했던 내용 참고하자. 2024년 대한민국 현실은 5명 중 1명이 사기꾼이고 3혹[유혹, 현혹, 화혹(화려함에 혹하다)]에 빠져 3명 중 1명중 한명이 사기 당한다. 대검찰청에 따르면 연간 136만 건 범죄 중 가장 많이 발생하는 범죄가 1위는 사기다. 수입 인증, 통장 인증하는 사람들 90%는 "믿음을 줘야 크게 한탕을 칠 수 있다."라는 심리가 있다. 수입 인증, 통장 인증하는 사람들이 다 사기꾼은 아니다. 하지만 단언컨대 사기꾼들은 수입 인증, 통장 인증을 한다는 것을 명심하자!

이번 생에 힘든 갓물주 위에 건물주는 힘들어도 온라인 건물주는 가능하다는 것이다. 최보규 방탄book 코칭 전문가의 PPT 디자인 수준인 마우(마우스만 움직일 줄 아는 우주 초보)에서 150권 표지를 만들 수 있었던 스토리텔링을 시작한다. 지금부터 상상을 초월하는 기술력을 오픈하기에 스마트폰 무음으로 해놓고 보길 바란다.

한 분야 전문가라면 이제는 자신 분야를 홍보하기 위한 디자인 스펙은 기본으로 해야 한다. PPT를 할 줄 아는 사람이라면 필수이다. 필자의 본업은 강사다. 15년 전 강사 직업을 시작으로 7G 직업(출판사 대표, 작가, 심리상담사, 코칭 전문가, 강사, 유튜버, 한집의 가장)을 하고 있다.

강사 1년 차 PPT 디자인 수준이 상 → 중 → 하 → 마우(마우스만 움직일 줄 아는 우주 초보)에서 마우였다. 그런데 15년 전 PPT 디자인 수준이 마우였던 필자가 15년이 지난 지금도 PPT디자인 수준이 마우인 사람이 책과 연관된(종이책 표지, 종이책 3D 표지, 종이책날개 표지, 전자책 표지, 책에 들어갈 이미지 디자인, 책 출간 후 유튜브 홍보 영상 디자인, SNS 프로필 디자인... 등) 디자인 수준을 어떻게 끌어 올렸는지 150권 표지 디자인한 보고 냉정하게 판단해보길 바란다. 디자인을 보면 디자인 실력, 내공, 가치가 나온다.

#. 뒤에서 나오는 150권 표지 디자인 중에 1%만 공개하고 종이책 표지, 날개 표지 작업 노하우, PPT에서 책 표지, 날개 표지 만드는 노하우까지 공개한다. PPT 디자인 수준이 마우(마우스만 움직일 줄 아는 우주 초보)인 사람도 가능하다는 것을 필자가 증명해 보이겠다.

한 분야 전문성으로 힘든 시대다. 이제는 포트폴리오 커리어 시대다. (포트폴리오 커리어: 한 분야 전문성 외 다수에 전문성이 있는 사람) 자신 경력을 왜 썩히고 있는가! 자신 경력을 활용해서 6가지 수입을 발생시킬 수 있는 방탄book기술력! 언제까지 몸(노동)으로 일할 것인가? 자신 경력이 일하게 하자! 자신 콘텐츠가 일하게 하자! 시스템이 일하게 하자!

★ ★ ★ ★ ★

직장은 자신 인생을 책임져 주지 않지만
방탄book기술력은 자신 인생을 책임져 준다.
직장은 자신을 배신하지만
방탄book기술력은 자신을 배신하지 않는다.

도서형태
원고등록
표지디자인
가격정책
최종확인
정가설정
55000
원/권 ⑭
* 최소가격 34,700원입니다.
* 최대 기본정가의 3배까지 설정할 수 있습니다.
* 소비자가격은 최소 가격보다 높아야합니다.
* 100원대 단위로 설정해야합니다.
정가인하
네, 작가 수익을 낮추고 소비자가격을 인하 하겠습니다.
아니요, 소비자가격을 인하하지 않겠습니다.
외부서점 입점
YES24.COM
KYOBO
알라딘
BOOKK
네, 외부 온라인 서점(교보문고, YES24, 알라딘 등) 입점 원합니다.
아니요, 부크크에서만 판매하며, 다른 서점은 원치 않습니다.
> 부크크는 필수로 입점되는 서점입니다.
> 무료 및 직접 올린 표지의 경우 유통사협약에 따라 입점 제약이 있을 수 있습니다.
> 무료 표지템플릿을 이용하는 경우 10권이상 판매가 되었을때 외부유통 신청이 가능합니다.
최종 정가 55,000원
부크크 서점 입점
기본정가 34,700원
인쇄비 24,290원
부크크수수료 8,250원
작업비 (추가가격변경비 등) 14,210원
정가인하 0원
내수익 8,250원
외부 서점 입점
기본정가 34,700원
인쇄비 24,290원
부크크수수료 8,250원
외부서점수수료 6,940원
작업비 (추가가격변경비 등) 10,020원
정가인하 0원
내수익 5,500원
Step3 표지디자인
Step5 최종확인 ⑮

⑭ 정가설정. 책 컬러, 책 페이지 수에 따라 가격이 자동으로 설정이 된다. 최대 기본정가의 3배까지 설정할 수 있다. 외부서점(교보문고, YES24, 알라딘, 웅진북센, 등) 입점 체크하고 책 인세는 부크크 자체에서 판매되면 15%, 외부 서점에서 판매 되면 10%다.

⑮ 최종 확인. 마지막 단계인 도서 소개, 도서 목차, 저자 경력, 소개 페이지로 이동한다.

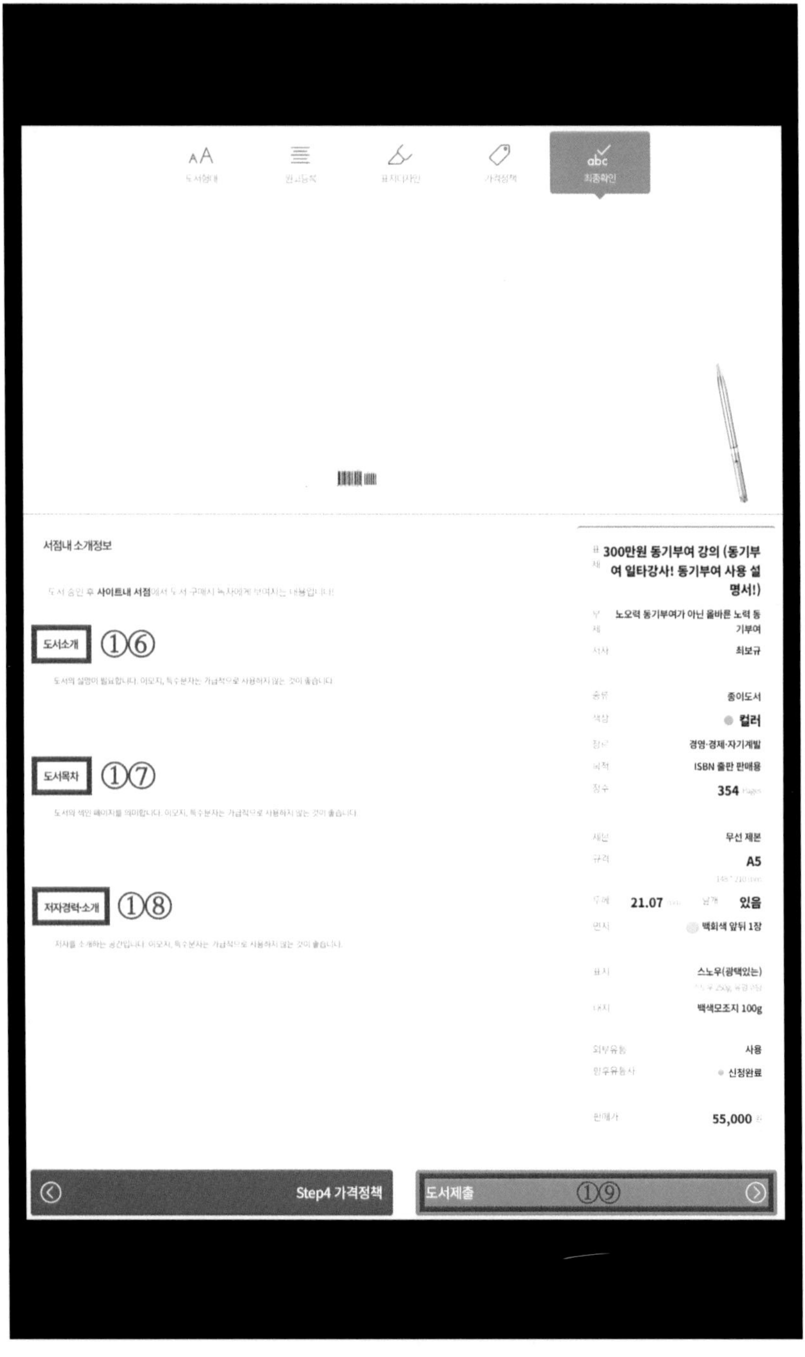
최종확인
서점내 소개정보
사이트내 서점
도서소개 ①⑥
도서목차 ①⑦
저자경력·소개 ①⑧
300만원 동기부여 강의 (동기부여 일타강사! 동기부여 사용 설명서!)
노오력 동기부여가 아닌 올바른 노력 동기부여
최보규
종이도서
컬러
경영·경제·자기계발
ISBN 출판 판매용
354
무선 제본
A5
21.07
있음
백회색 앞뒤 1장
스노우(광택있는)
백색모조지 100g
사용
신청완료
55,000
Step4 가격정책
도서제출 ①⑨

- 5단계. 최종 확인

⑯ 도서 소개. 책 소개를 입력하는 곳이다. 책 표지, 책 제목 다음으로 많이 보는 책 소개다. 책 소개를 보고 책을 구매할지 안 할지 판단한다. 다음으로 나오는《300만원 동기부여 강의》책 소개를 참고하자.

《300만원 동기부여 강의》책 소개

★ 80억 분의 1 ONLY ONE 검증된 동기부여 일타강사의 강의 교안 세계 최초 오픈!

※. 강사가 강의 교안을 오픈하는 것은 통장, 영업 기밀을 오픈하는 거와 같다.

★ 3고(고물가, 고환율, 고금리) 시대, 49세 은퇴 시대(20대 은퇴 예정자? 30대 은퇴 확정자? 40대 은퇴 위험군?) 점점 더 은퇴 나이가 낮아지고 앞으로 더 힘들어지는 상황에서 자신 가능성을 높이는 동기부여, 자신 분야와 연결하여 제2수입, 제3수입을 지속적으로 만들 수 있는 방법을 제시하는 동기부여를 해 줄 것이다.

특허청 등록! 등록 번호: 제 40-2072344 호 [최보규 자기계발코칭 창시자]

20,000명 심리 상담, 코칭 / 15년 2,000권 독서

자기계발서 100권 출간 / 강사 15년, 강의 6,000회
7G 직업 (출판사 대표, 작가, 심리 상담사, 코칭 전문가, 강사, 유튜버, 한집의 가장)
45년간 습관 320가지 만듦...
많은 경력과 시행착오, 대가 지불, 인고의 시간을 통해 알게 된 동기부여를 세계 최초로 공개한다.

★ 어떤 강의에서도 말하지 못한 동기부여!
★ 어떤 강사도 말하지 못한 동기부여!
★ 어떤 책에도 없는 동기부여!
★ 어떤 영상에서도 볼 수 없는 내용의 동기부여!

⑰ 도서 목차. 책의 목차를 입력하는 곳이다. 다음으로 나오는 《300만원 동기부여 강의》 책 목차 참고하자.

《300만원 동기부여 강의》 책 목차

◈ 총정리(피드엔드법칙) 240
◈ 세계 최초 방탄강사 사관학교 272
◈ 지속적인(100년) 수입을 창출할 수 있는 기술력을 체계적으로 배우는 방탄자기계발사관학교 310

◈ 참고문헌, 출처 353

⑱ 저자 경력, 소개. 작가의 스펙이나 소개을 입력하는 곳이다. 다음으로 나오는《300만원 동기부여 강의》책 저자 경력, 소개를 참고하자.

《300만원 동기부여 강의》책 저자 경력, 소개

★ 80억 분의 1 ONLY ONE 검증된 동기부여 일타강사!

★ 대한민국 특허청 등록 [등록 번호: 제 40-2072344호] [최보규 자기계발코칭 창시자]

★ 삼성(전문성, 진정성, 신뢰성)이 검증된 코칭 전문가.

★ 출판계 최초! 출판계의 혁신인 6가지 수입 창출 책 쓰기, 출간 기술력을 창시한 사람. [출판계의 스티브 잡스]

★ 20,000명 심리 상담, 코칭을 통해 많은 사람들을 살리고 함께 울고, 웃고, 공감으로 행복을 주는 동기부여

전문가.
대한민국 극단적인 선택률, 이혼율을 낮추고 행복률을
올리기 위해 방탄자기계발사관학교를 만든 사람.
www.방탄자기계발사관학교.com

★ 20,000 / 7G / 2,000 / 7,000 / 100 / 50 / 6,000 / 45 / 320 / 15 숫자가 말해주는 사람!
20,000명 심리 상담, 코칭.
7G 직업(출판사 대표, 작가, 심리 상담사, 코칭 전문가, 강사, 유튜버, 한집의 가장)
2,000권 독서. 7,000개 메모. 자기계발서 100권 출간.
100권 출간한 책으로 온라인 콘텐츠, 디지털 콘텐츠 제작하여 50층 온라인 건물주.
강의 6,000회. 45년간 습관 320가지 만듦. 강사 15년차.

★ 최보규상(대한민국 노벨상)을 만든 사람.
최보규를 알고 있는 사람들에게 나다운 행복을 만들어 주기 위해 올바른 노력을 하는 사람.

⑲ 도서 제출. 심사, 승인을 받기 위한 최종 단계

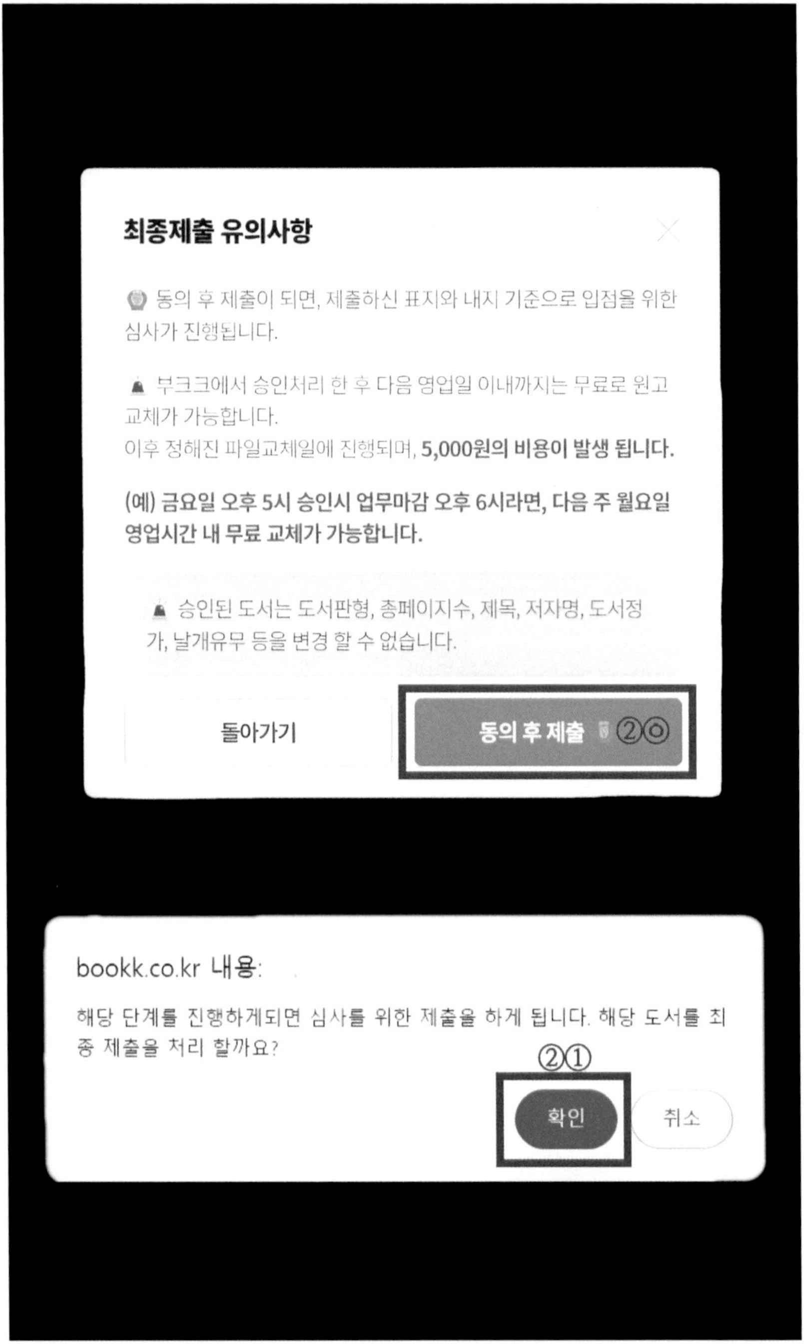
최종제출 유의사항
동의 후 제출이 되면, 제출하신 표지와 내지 기준으로 입점을 위한 심사가 진행됩니다.
부크크에서 승인처리 한 후 다음 영업일 이내까지는 무료로 원고 교체가 가능합니다.
이후 정해진 파일교체일에 진행되며, 5,000원의 비용이 발생 됩니다.
(예) 금요일 오후 5시 승인시 업무마감 오후 6시라면, 다음 주 월요일 영업시간 내 무료 교체가 가능합니다.
승인된 도서는 도서판형, 총페이지수, 제목, 저자명, 도서정가, 날개유무 등을 변경 할 수 없습니다.
돌아가기
동의 후 제출
⑳
bookk.co.kr 내용:
해당 단계를 진행하게되면 심사를 위한 제출을 하게 됩니다. 해당 도서를 최종 제출을 처리 할까요?
㉑
확인
취소

⑳ 동의 후 제출. 동의 후 제출을 클릭하면 임시 서재로 저장이 된다. 동의 후 제출이 되면, 제출한 표지와 내지로 입점을 위한 승인 심사가 진행 된다.

②① 확인. 확인을 누르면 심사를 받는 것이다. 심사를 한 번에 승인받기 위해서는 취소를 누른 다음에 임시 서재에 저장되어 있는 것을 다시 꼼꼼하게 체크를 하고 확인을 누르는 것이 좋다.

심사는 2~3일 정도 걸리는데 승인 반려가 뜨면 시간이 더 길어지기에 임시 서재에 저장해서 꼼꼼하게 빠진 부분은 없는지 한 번 더 확인하는 것이 좋다.

- 심사, 승인 기준

1. 원고가 제작 가능한 규격.
2. 책으로 만들어졌을 때 여백 가능.
3. 서체가 당사 인쇄기기와 호환 유무.
(서체의 경우 문체부체, kopubpro, kopubworldpro 체는 사용 안 됨)
4. 이미지의 해상도나 저작권에 문제가 있을 것 같은 경우에는 저자에게 확인 요청.

필자가 부크크 출판사에서 종이책 150권, 전자책 100권, 유페이퍼 출판사 전자책 150권 총 450권을 출간 하면서 알게 된 것은 부크크 출판사, 유페이퍼 출판사들 심사, 승인 기준이 까다롭지가 않다는 것이다.

심사, 승인 기준 한 번만 통과하면 그 다음에는 심사, 승인 기준이 감이 오기에 수월하게 진행을 할 수 있다.

대한민국 99%가 책 쓰기, 출간하는 방법만
교육, 코칭 한다!
6가지 수입 창출 책 쓰기, 출간 기술력을
교육, 코칭 하는 곳은 방탄book출판사뿐이다.

방법만 배우면 평생
몸을 움직여서 돈을 벌어야 하지만
방탄book기술력을 배우면 움직이지
않아도 돈을 벌수 있는 자동 시스템을 만든다.

4. 부크크출판사에서 5단계만(5분) 거치면 누구나 종이책을 출간할 수 있지만 아무나 출간한 책으로 6가지 수입 창출을 연결시키지 못한다?

지금까지 부크크출판사의 종이책 등록 매뉴얼 순서를 보면서 이런 생각을 하는 두부류에 사람들이 나온다.

첫 번째 부류

"우와! 책 출간 방법이 이렇게 쉬웠어! 그토록 찾던 책 출간 방법이 여기 있었는데 지금까지 헤매던 시간들을 보상받는 느낌이다. 최보규 방탄book 코칭 전문가님께 감사하다. 부크크출판사 등록 순서대로 하면 돈 안 들이고 혼자서 충분히 할 수 있을 거 같다. 책 출간하는데 이렇게 돈 안 들이고 쉽게 책 출간해도 되나? 진짜 대박이다!"라는 생각이 들 것이다. 이런 생각이 충분히 들 수 있다. 하지만 정작 중요한 것을 모르고 있다.

부크크출판사에 책 출간 등록 매뉴얼은 책 출간만 할 수 있는 방법이지 출판계의 혁신인 방탄book기술력까지 할 수 있는 것이 아니다.

책을 출간해서 6가지 수입을 창출 할 수 있는 방탄book 기술력 접목은 ONLY ONE인 최보규 방탄book기술력 창시자 밖에 할 수 없다는 것이다.

20,00명 심리 상담, 코칭 하면서 알게 된 것이 있다. 방탄book기술력 과정이 3단계가 있다. 이코노미 코칭, 비지니스 코칭, 퍼스트 클래스 코칭 중 기초 과정인 이코노미 코칭 과정을 배우면 혼자서도 충분히 할 수 있을 자만심이 생겨 혼자서 책 등록을 하다가 어려워서 도움을 요청하는 사람들이 많았다. 쉬운 설명이라도 자신이 막상 하면 어려운 경우가 많다.

두 번째 부류

"음... 시중에 책 쓰기 책, 책 출간 책보다는 좀 더 쉽게, 디테일하게 설명을 했지만 혼자서 하기가 쉽지 않을 거 같은데... 최보규 방탄book기술력 창시자님도 마우(마우스만 움직일 줄 아는 사람) 실력으로 150권을 출간 했다고 했는데... 마우 수준인 나는 그래도 어렵다."라는 자신감 없는 생각이 들 것이다. 자신감 없는 생각이 드는 것은 지극히 자연스러운 것이다.

단언컨대 시중에 많이 있는 책 쓰기, 책 출간 책들 중에 이렇게까지 세부적으로 디테일하게 초보자 눈높이에서 설명해 놓은 것을 보고도 시도를 안 한다면 그 어떤 책 쓰기, 책 출간 책을 보더라도 할 수 없을 것이다.

자신을 못 믿는 사람들이 많을 것이다. 하지만 자신을 믿어주는 최보규 방탄book기술력 창시자를 믿고 시작하면 된다. 우주 최강 책임감 150년 a/s, 피드백, 관리를 받고 싶다면 방탄book기술력 교육, 코칭을 받길 바란다.

대한민국 99%가 책 쓰기, 출간하는 방법만
교육, 코칭 한다!
6가지 수입 창출 책 쓰기, 출간 기술력을
교육, 코칭 하는 곳은 **방탄book출판사뿐이다.**

방법을 알면 1권 출간하고 끝이지만
방탄book기술력을 알면
10권, 100권, 1.000권... 도 가능하다.

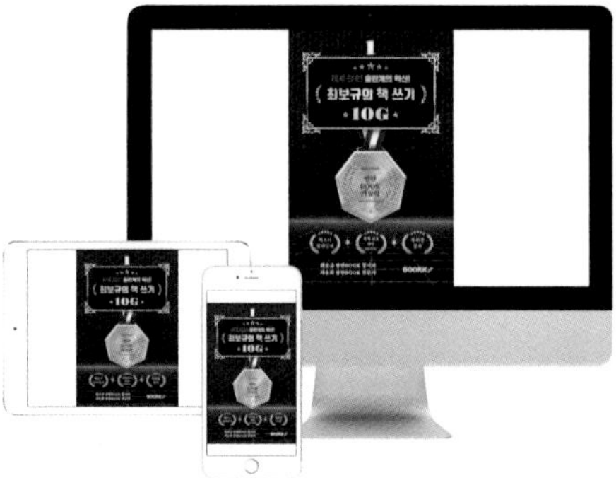

5. 부크크출판사 전자책 등록 5단계 매뉴얼.

부크크출판사에 전자책 등록 5단계 매뉴얼은 종이책 등록 5단계와 몇 가지 빼고는 차이가 없다. 앞에 나온 종이책 등록 5단계를 따라 하면 전자책 등록은 쉽다. 부크크출판사 전자책에 장점은 종이책을 출간할 때 1+1으로 등록을 할 수 있다는 것이고 단점으로는 부크크출판사 홈페이지 자체에서만 판매가 된다는 것이다.
종이책은 외부 서점 유통이 되는데 전자책은 외부 유통이 되지 않는다.

그럼에도 불구하고 부크크출판사에 전자책을 등록해야 되는 이유가 있다. 방탄book기술력(수익 창출 6가지 시스템) 코칭 할 때 알려주는 팁을 오픈하겠다. 외부 유통이 안 돼서 전자책 판매가 많이 되지 않더라도 전자책 등록한 분야로 인해 강의 섭외, 코칭, 제품 판매, 홍보 마케팅이 된다는 것이다. 부크크출판사 자체 작가, 회원, 불특정 다수에게 자신 책 홍보가 되어 어떤 연결 고리가 생길지 모른다는 것이다.

부크크출판사에서 종이책을 출간한다면 전자책은 무조건 등록해야 한다. 돈이 들어가지 않기 때문에 무조건 해야 한다.

세계 최초! 출판계의 혁신!
최보규의 책 쓰기
10G
ONLY ONE
방탄
BOOK
기술력
www.방탄book.com
책쓰기
일타강사
세계 최초
방탄
BOOK
특허청
등록

세계 3대 혁신!
1대 혁신!
2대 혁신!
3대 혁신!
특허청 등록
최보규 강사책출간 코칭전문가
등록 번호: 제 40-2200794 호

세계 1대 혁신!

스마트폰 혁신

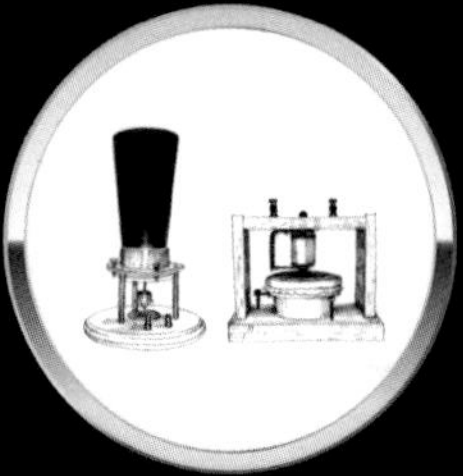

1876년
미국의 알렉산더 벨(Alexander G. Bell)

2007년 스티브 잡스
아이폰 (아이팟 + 인터넷 + 폰)

세계 2대 혁신!

자동차 혁신

1886년 세계 최초 가솔린 자동차
칼 벤츠가 발명한 '페이턴트 모터바겐'

2024년 벤츠 전기차

세계 3대 혁신!
출판계 혁신
인류 최초의 책 '점토판'
BC 2700년경
2024년 현재
인류 최초의 책 ~ 24년 현재 책 차이점?
책 재질인 점토, 종이 차이 빼고는
글씨만 있는 것은 똑같다.
최보규의 책 쓰기
10G
방탄BOOK기술력
수입 창출 6가지 방법

세계 3대 혁신!
스마트폰 혁신
1876년
미국의 알렉산더 벨(Alexander G. Bell)
2007년 스티브 잡스
아이폰 (아이팟 + 인터넷 + 폰)
자동차 혁신
1886년 세계 최초 가솔린 자동차
칼 벤츠가 발명한 '페이턴트 모터바겐'
2024년 벤츠 전기차
세계 최초! 출판계 혁신!
인류 최초의 책 '점토판'
BC 2700년경
2024년 현재
인류 최초의 책 ~ 24년 현재 책 차이점?
책 재질인 점토, 종이 차이 빼고는
글씨만 있는 것은 똑같다.
방탄BOOK기술력
수입 창출 6가지 방법
Google 자기계발아마존
YouTube 방탄자기계발
NAVER 방탄book기술력
NAVER 최보규

세계 최초! 출판계 혁신!

책만 출간하고 끝나는 것이 아닌 자신 분야와 출간 한 책을 연결하여 6가지 수입을 발생시킬 수 있는 기술력과 100년 지속할 수 있는기술력을 마스터 한다.

우리는 이것을 방탄book기술력이라 부른다.

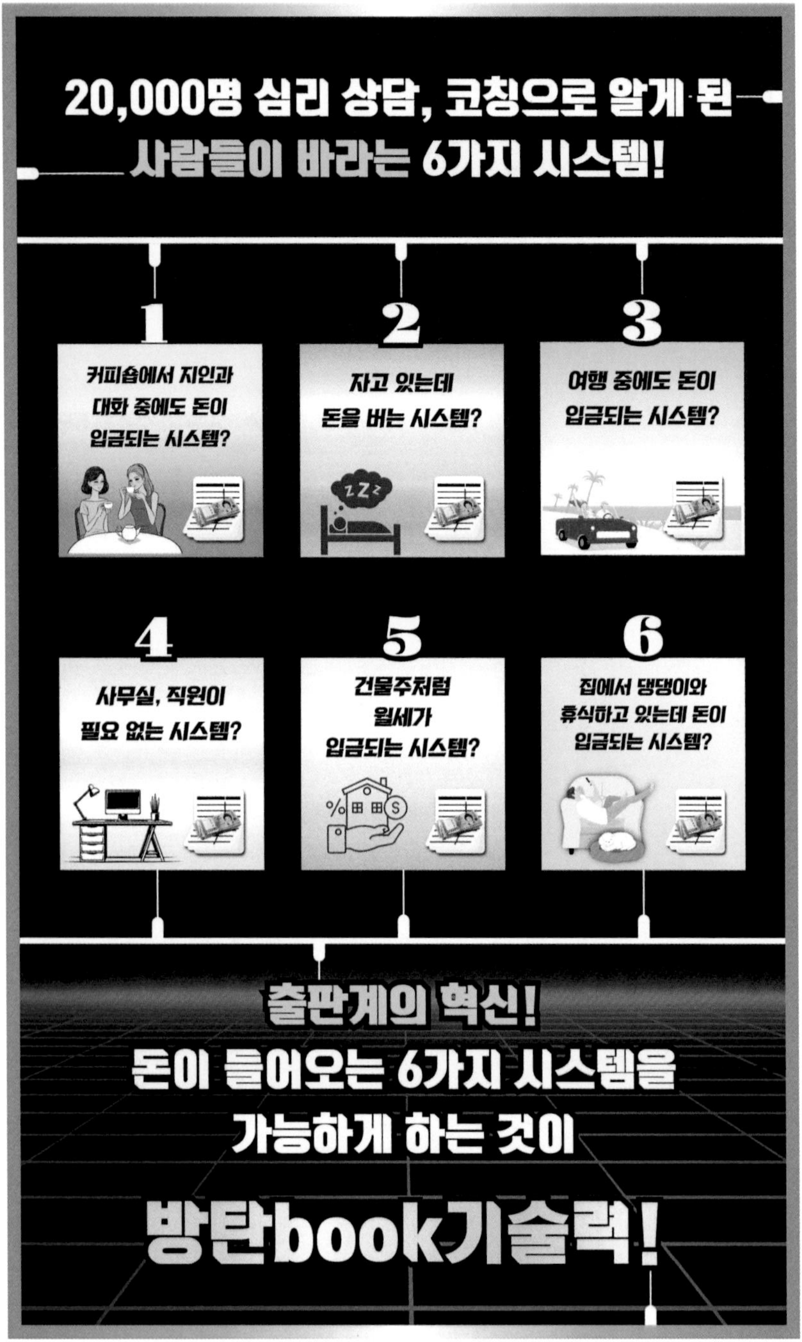
20,000명 심리 상담, 코칭으로 알게 된
사람들이 바라는 6가지 시스템!
1
커피숍에서 지인과
대화 중에도 돈이
입금되는 시스템?
2
자고 있는데
돈을 버는 시스템?
3
여행 중에도 돈이
입금되는 시스템?
4
사무실, 직원이
필요 없는 시스템?
5
건물주처럼
월세가
입금되는 시스템?
6
집에서 댕댕이와
휴식하고 있는데 돈이
입금되는 시스템?
출판계의 혁신!
돈이 들어오는 6가지 시스템을
가능하게 하는 것이
방탄book기술력!

평균 희망 은퇴 73세, 현실 은퇴 나이 49세!
100세 시대 언제까지 몸(노동)으로만
일해서 돈을 벌 것인가?

세상, 현실 기준에서 스펙, 돈, 인맥, 자산 등이 없어서 100세까지 노동을 해야 되고 몸까지 아프면 더 답이 없는 상황! 젊을 때는 100가지 중 99가지를 할 수 있지만 나이 들면 100가지 중 99가지를 할 수 없다. 3고 시대, AI 시대, 챗GPT 시대에 자신의 직업이 사라 질 수 있는 상황에서 어떻게 준비, 대비할 것인가?

방탄BOOK기술력
선택이 아닌 필수!

한 분야 전문성으로 힘든 시대다. 이제는 포트폴리오 커리어 시대다. (포트폴리오 커리어: 한 분야 전문성 외 다수에 전문성이 있는 사람) 자신 경력을 왜 썩히고 있는가! 자신 경력을 활용해서 6가지 수입을 발생시킬 수 있는 방탄book기술력! 언제까지 몸(노동)으로 일할 것인가? 자신 경력이 일하게 하자! 자신 콘텐츠가 일하게 하자! 시스템이 일하게 하자!

★ ★ ★ ★ ★

직장은 자신 인생을 책임져 주지 않지만
방탄book기술력은 자신 인생을 책임져 준다.
직장은 자신을 배신하지만
방탄book기술력은 자신을 배신하지 않는다.

특허청 등록

최보규 강사책출간 코칭전문가

등록 번호: 제 40-2200794 호

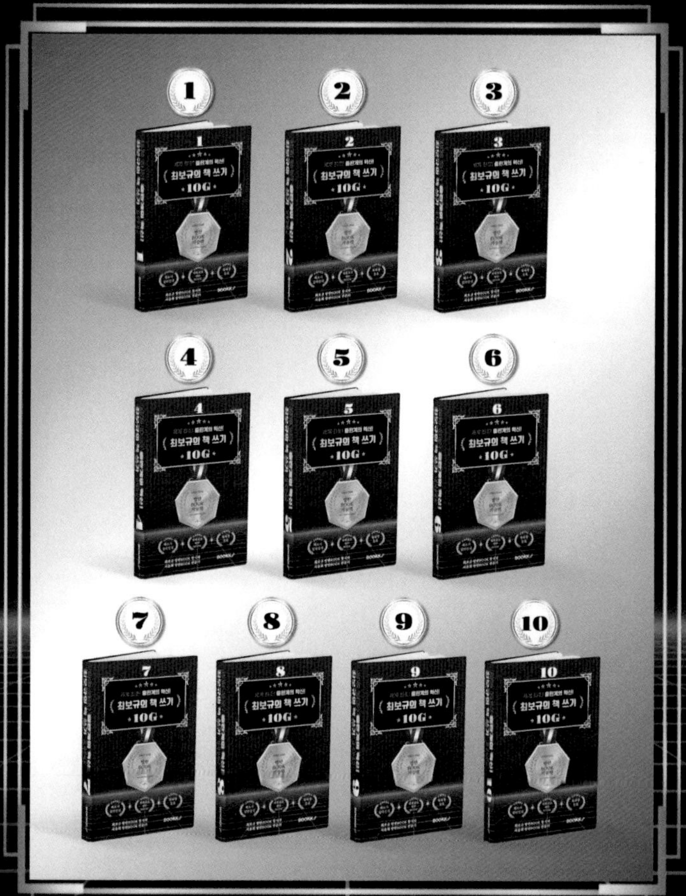

검증된 코칭전문가

특허청 등록

최보규 강사책출간 코칭전문가

등록 번호: 제 40-2200794 호

특허청 등록

최보규 자기계발코칭 창시자

등록 번호: 제 40-2072344 호

특허청 등록

최보규 리더동기부여 코칭전문가

등록 번호: 제 40-2128786 호

※ 상표 및 상호를 무단 도용할 경우
[특허법]에 의해 1억 원 이하의 벌금, 7년 이하의 형사처분을 받을 수 있습니다.

ONLY ONE
"80억 분의 1 검증된 전문가"
특허청 등록
최보규 강사책출간 코칭전문가
등록 번호: 제 40-2200794 호
특허청 등록
최보규 자기계발코칭 창시자
등록 번호: 제 40-2072344 호
특허청 등록
최보규 리더동기부여 코칭전문
등록 번호: 제 -2128786 호
대한민국 강사 섭외 NO1 '강사야'
'강사야' "대표 일타 강사 최보규"
GANGSAYA 강사섭외
최보규
로그인 회원가입
전체분야 강사프로필 섭외문의 분야별특강 커뮤니티 추천강사
섭외문의무료등록
최보규강사
특허청 등록으로 검증된 강사!
방탄 동기부여/리더십/자기계발
동기부여/리더십/자기계발 업데이트!
저서 100권의 내공을 통한 세계 최초 1+4를 주는 가성비 강사!
(강의메세지+즐거움+스토리텔링+실천 사용 설명서 제공)
Google 자기계발아마존
YouTube 방탄자기계발
NAVER 강사야
NAVER 최보규

명품
동기부여
방탄
book 기술력
전문가
명품
자기계발
COACHING
책150권 출간
상담 17,000회
코칭 13,000회
강의 경력 6,200회
Google 자기계발아마존
YouTube 방탄자기계발
NAVER 방탄자기계발사관학교
NAVER 최보규
N 최보규
네이버 인물정보 등록 34만 명! (2016년 기준)
대한민국 1% 미만 "네이버 명예의 전당" 인물정보 등록!
전체 프로필 최근활동 도서
프로필
소속 방탄자기계발사관학교/방탄북(BOOK)출판사(대표)
수상 2016년 제1회 세계를 빛낸 천사상 대상
경력 방탄자기계발사관학교/방탄북(BOOK)출판사 대표
방탄자기계발사관학교 대표
2012.05~2016.06 사랑의전화 전화상담 자원봉사자
2014.11 행복사관학교 대표
사이트 유튜브, 블로그, 네이버TV, 페이스북, 공식홈페이지
작품 ★ 도서 108건, 관련활동

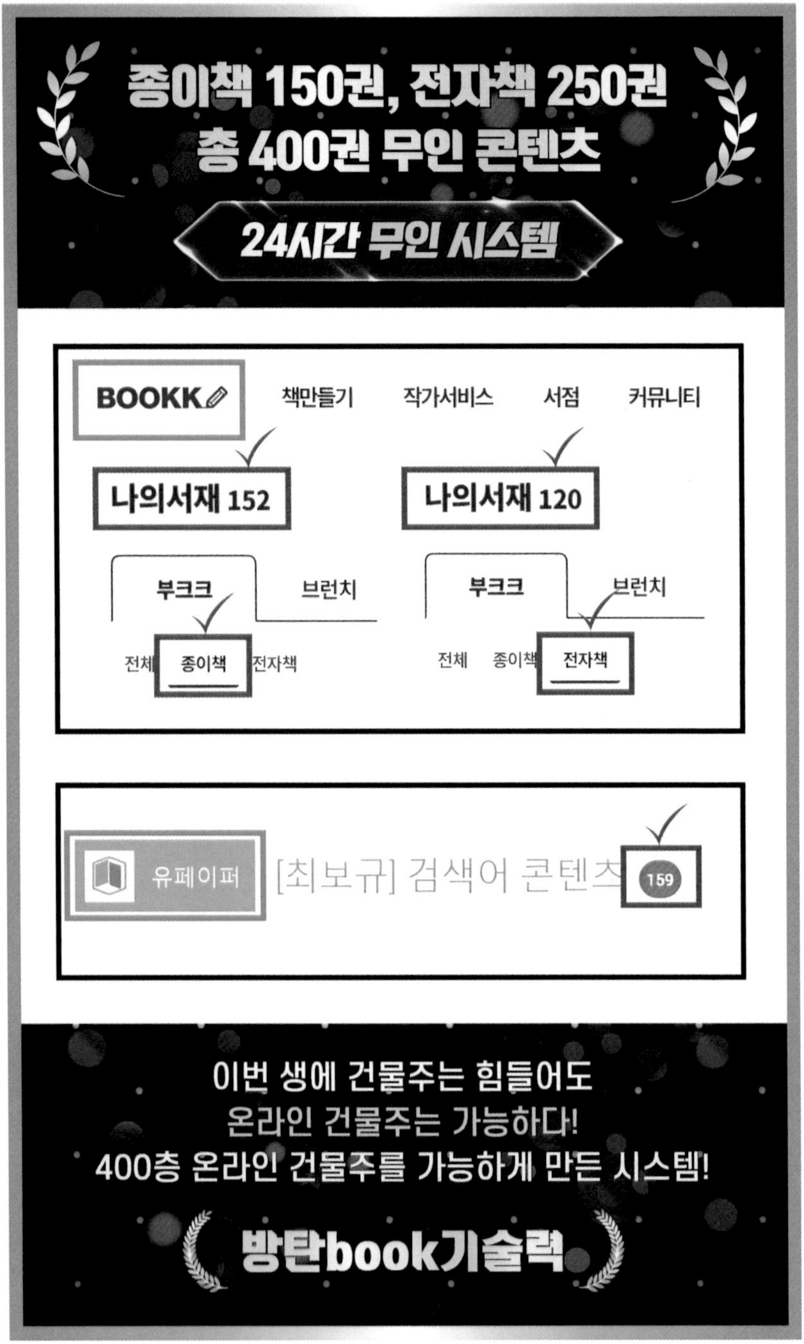
종이책 150권, 전자책 250권
총 400권 무인 콘텐츠
24시간 무인 시스템
BOOKK
책만들기
작가서비스
서점
커뮤니티
나의서재 152
나의서재 120
부크크
브런치
전체
종이책
전자책
유페이퍼
[최보규] 검색어 콘텐츠
159
이번 생에 건물주는 힘들어도
온라인 건물주는 가능하다!
400층 온라인 건물주를 가능하게 만든 시스템!
방탄book기술력

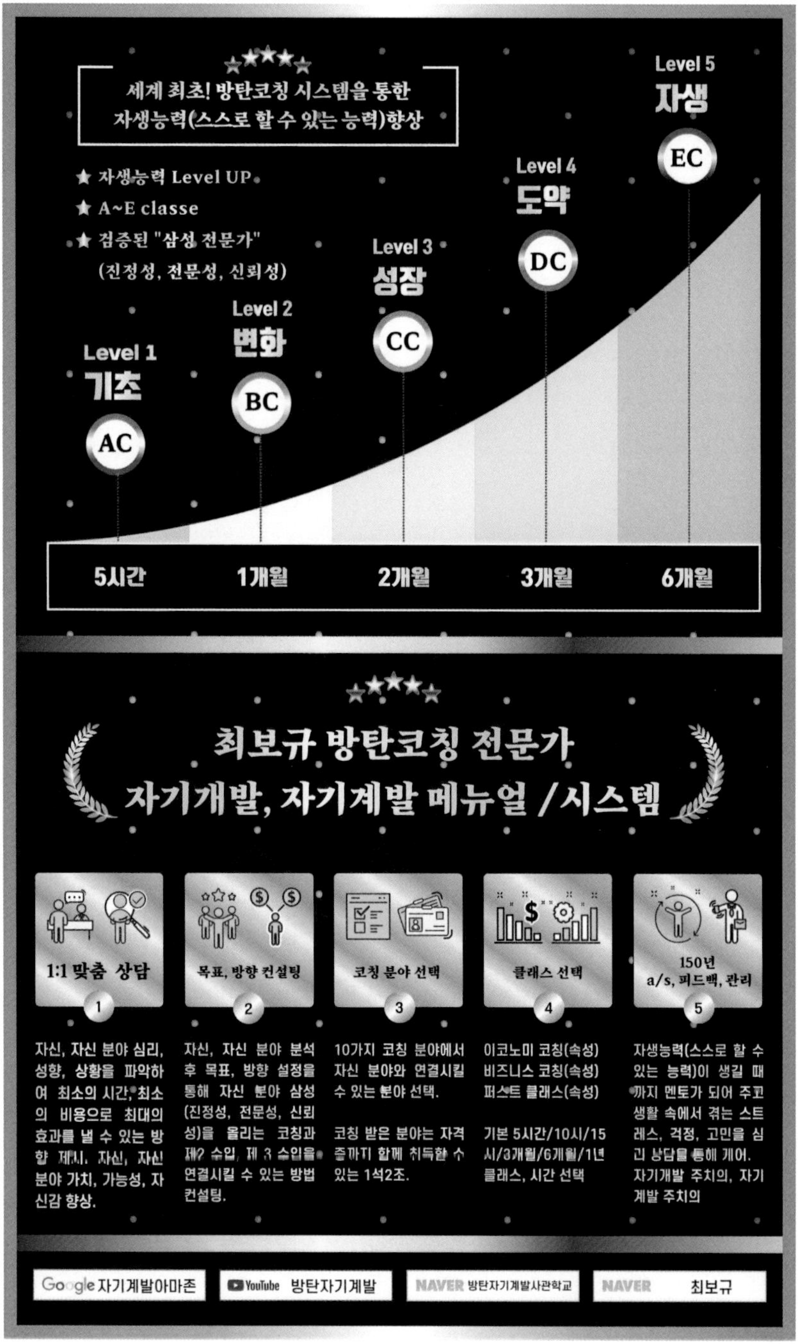
세계 최초! 방탄코칭 시스템을 통한
자생능력(스스로 할 수 있는 능력)향상
★ 자생능력 Level UP
★ A~E classe
★ 검증된 "삼성 전문가"
(진정성, 전문성, 신뢰성)
Level 1
기초
AC
Level 2
변화
BC
Level 3
성장
CC
Level 4
도약
DC
Level 5
자생
EC
5시간
1개월
2개월
3개월
6개월
최보규 방탄코칭 전문가
자기개발, 자기계발 메뉴얼 /시스템
1:1 맞춤 상담
1
자신, 자신 분야 심리, 성향, 상황을 파악하여 최소의 시간, 최소의 비용으로 최대의 효과를 낼 수 있는 방향 제시. 자신, 자신 분야 가치, 가능성, 자신감 향상.
목표, 방향 컨설팅
2
자신, 자신 분야 분석 후 목표, 방향 설정을 통해 자신 분야 삼성(진정성, 전문성, 신뢰성)을 올리는 코칭과 제2 수입, 제 3 수입을 연결시킬 수 있는 방법 컨설팅.
코칭 분야 선택
3
10가지 코칭 분야에서 자신 분야와 연결시킬 수 있는 분야 선택.
코칭 받은 분야는 자격증까지 함께 취득할 수 있는 1석2조.
클래스 선택
4
이코노미 코칭(속성)
비즈니스 코칭(속성)
퍼스트 클래스(속성)
기본 5시간/10시/15시/3개월/6개월/1년 클래스, 시간 선택
150년
a/s, 피드백, 관리
5
자생능력(스스로 할 수 있는 능력)이 생길 때까지 멘토가 되어 주고 생활 속에서 겪는 스트레스, 걱정, 고민을 심리 상담을 통해 케어.
자기개발 주치의, 자기계발 주치의
Google 자기계발아마존
YouTube 방탄자기계발
NAVER 방탄자기계발사관학교
NAVER 최보규

검증된 전문가 교육시스템

회원제를 통한 맞춤 학습, 연습, 훈련
오프라인 전문상담사가 검진 후 특별맞춤 학습, 연습, 훈련

검증된 강사코칭 전문가

세계 최초 강사 백과사전
강사 사용설명서를 만든 전문가!
150년 A/S, 관리,해주는 책임감!

검증된 책 쓰기 전문가 100권

행복히어로
나다운 강사 1, 2
나다운 방탄멘탈
나다운 방탄습관블록
나다운 방탄 카피 사전
나다운 방탄자존감 명언 I, II
방탄자기계발 사관학교
자기계발코칭전문가 1,2,3,4,5,6
나다운 방탄리더십 1,2,3,4,5
외 100권

검증된 자기계발 전문가

방탄행복 창시자!
방탄멘탈 창시자!
방탄습관 창시자!
방탄자존감 창시자!
방탄자기계발 창시자!
방탄강사 창시자!
방탄리더십 창시자!

검증된 상담 전문가

20,000명 심리 상담, 코칭 !
독학하기 힘든 자자자자멘습긍
(자존감, 자신감, 자기관리, 자기계발, 멘탈, 습관, 긍정)
1:1 케어까지 해주며 행복 주치의가 되어주는 전문가!

강력추천

이런 사람들 반드시 상담, 코칭 받으세요!

현재 상황에 가장 필요한 것을 상담 후 가장 효율적인 시스템을 적용합니다.

1. 변화, 성장, 배움, 행동 동기부여, 셀프케어

지금처럼이 아니라 지금부터 다시 시작하고 때를 기다리는 사람이 아닌 때를 만들고 싶은 분

2. 자신분야 전문성 (진정성, 전문성, 신뢰성)

경력은 스펙이 아니다! 자신 분야 차별화로 부케릭터를(부업)만들어 자신 몸값을 올리고 싶은 분

3. 자신분야 자동 시스템(돈) 연결

움직이지 않아도 자동으로 돌아가는 돈 버는 시스템을 만들고 싶은 분

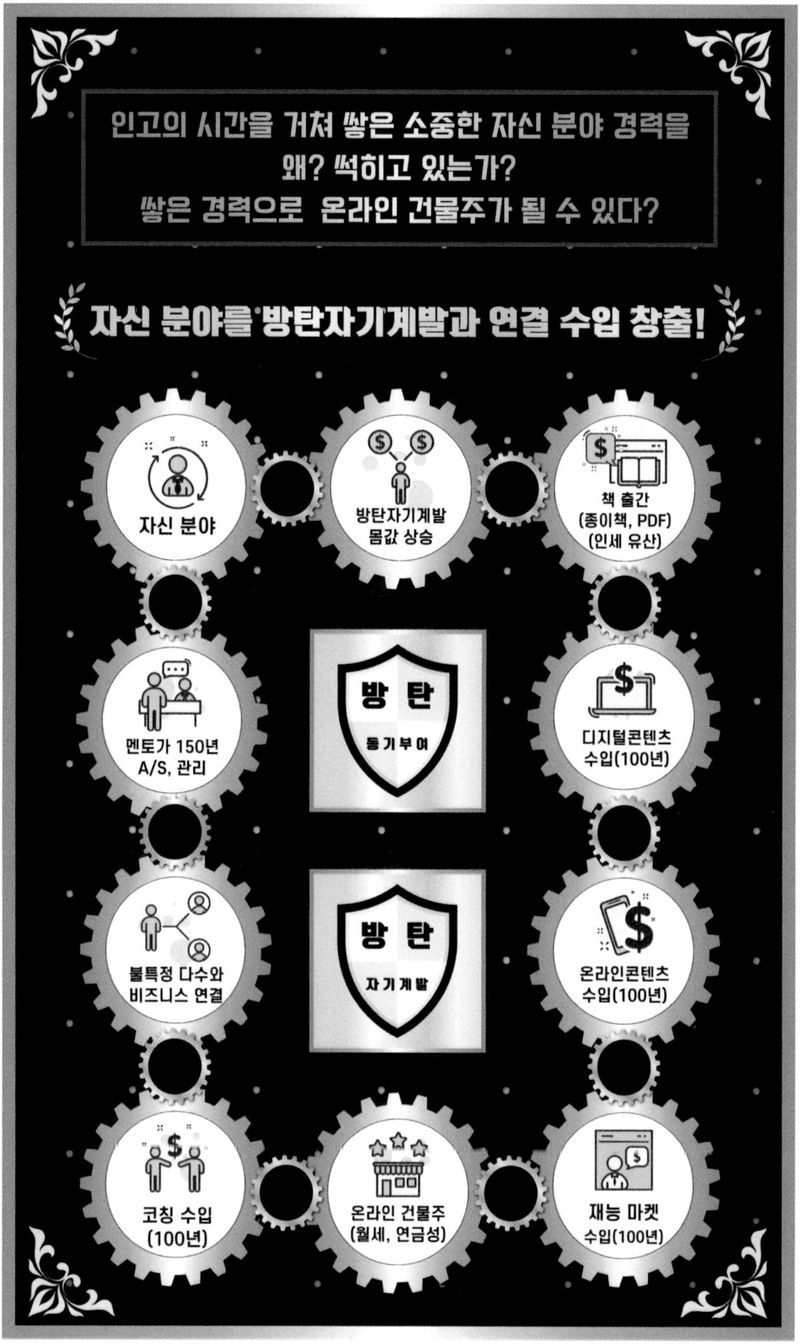
인고의 시간을 거쳐 쌓은 소중한 자신 분야 경력을
왜? 썩히고 있는가?
쌓은 경력으로 온라인 건물주가 될 수 있다?
자신 분야를 방탄자기계발과 연결 수입 창출!
자신 분야
방탄자기계발
몸값 상승
책 출간
(종이책, PDF)
(인세 유산)
방 탄
동기부여
멘토가 150년
A/S, 관리
디지털콘텐츠
수입(100년)
방 탄
자기계발
불특정 다수와
비즈니스 연결
온라인콘텐츠
수입(100년)
코칭 수입
(100년)
온라인 건물주
(월세, 연금성)
재능 마켓
수입(100년)

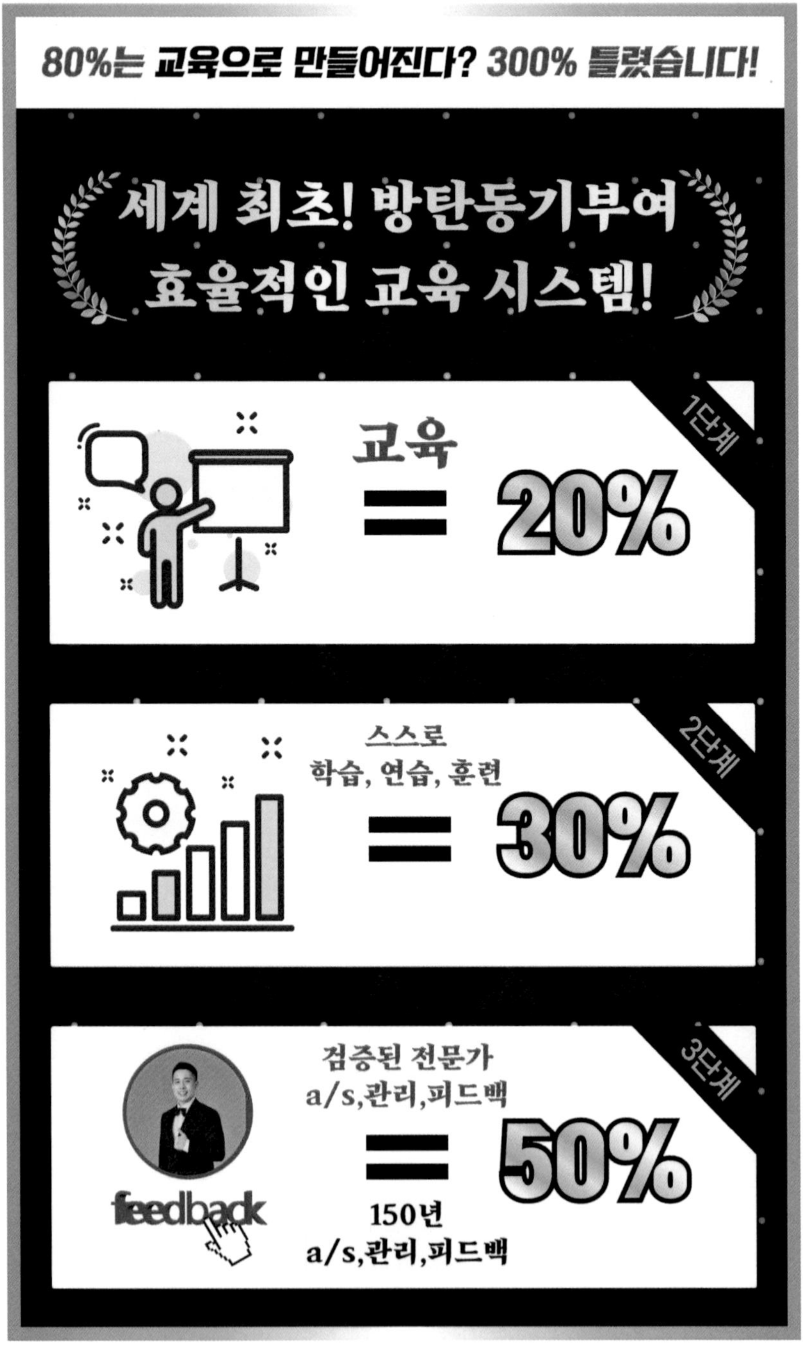
80%는 교육으로 만들어진다? 300% 틀렸습니다!
세계 최초! 방탄동기부여
효율적인 교육 시스템!
1단계
교육
= 20%
2단계
스스로
학습, 연습, 훈련
= 30%
3단계
검증된 전문가
a/s,관리,피드백
= 50%
feedback
150년
a/s,관리,피드백

평균적으로 학습자들은 교육만 받으면 80% 효과를 보고 동기부여가 되어 행동으로 나올 것이라고 착각합니다.
그러다 보니 교육받는 동안 생각만큼, 돈을 지불한 만큼 자신 기준의 미치지 못하면 효과를 보지 못할 거라고 지레짐작으로 스스로가 한계를 만들어 버립니다. 그래서 행동으로 옮기지 못하는 것이 상황, 교육자가 아닌 자기 자신이라는 것을 모릅니다.

20,000명 심리 상담, 코칭, 리더 자기계발서 100권 출간, 리더 습관 320가지 만듦, 시행착오, 대가 지불, 인고의 시간을 통해 가장 효율적이며 효과적인 교육 시스템은 2:3:5라는 것을 알게 되었습니다.

교육 듣는 것은 20%밖에 되지 않습니다. 교육을 듣고 스스로가 생활 속에서 배웠던 것을 토대로 30% 학습, 연습, 훈련해야 합니다.
학습, 연습, 훈련한 것을 가장 중요한 50%인 검증된 전문가에게 꾸준히 a/s, 관리, 피드백을 받아야만 2:3:5공식 효과를 볼 수 있습니다.

명품 자기계발
Best 6
명품 동기부여
검증된 방탄 PT 분야
동기부여 방탄 PT
1
BEST Seller
자격증 발급기관
<저자 최보규>
동기부여코칭전문가
방탄자기계발사관학교
압도적 차이를 만드는 방탄 PT!
앞서가는 사람은 방탄 PT 받는다!
7대 동기부여 PT
비전 동기부여 PT
열정 동기부여 PT
목표 동기부여 PT
자존감 동기부여 PT
자신감 동기부여 PT
변화 동기부여 PT
성장 동기부여 PT
멘탈 동기부여 PT
습관 동기부여 PT
긍정 동기부여 PT
인간관계 동기부여 PT
행복 동기부여 PT
스피치 동기부여 PT
love 동기부여 PT
Smile 동기부여 PT

명품 자기계발

Best 6

명품 동기부여

검증된 방탄 PT 분야

리더 인간관계 PT

2

<저자 최보규>

BEST Seller

자격증 발급기관

압도적 차이를 만드는 방탄 PT!
앞서가는 사람은 방탄 PT 받는다!

- ☑ 7대 인간관계 PT
- ☑ 인간관계 기본기 PT
- ☑ 인간관계 태도 PT
- ☑ 인간관계 사명감 PT
- ☑ 인간관계 자존감 PT
- ☑ 인간관계 자신감 PT
- ☑ 인간관계 자기관리 PT
- ☑ 인간관계 자기계발 PT

- ☑ 인간관계 멘탈 PT
- ☑ 인간관계 습관 PT
- ☑ 인간관계 긍정 PT
- ☑ 인간관계 감정컨트롤 PT
- ☑ 인간관계 행복 PT
- ☑ 인간관계 스피치 PT
- ☑ 인간관계 love PT
- ☑ 인간관계 Smile PT

명품 자기계발
Best 6
명품 동기부여
검증된 방탄 PT 분야
방탄리더십 PT
3
BEST Seller
자격증 발급기관
리더십 PT 1
<저자 최보규>
리더십코칭전문가
방탄자기계발사관학교
압도적 차이를 만드는 방탄 PT!
앞서가는 리더는 방탄 PT 받는다!
방탄 리더십 PT
리더 동기부여 PT
리더 자기계발 PT
삼성PT
(진정성, 전문성, 신뢰성)
리더 기본기 PT
리더 태도 PT
리더 사명감 PT
리더 자존감 PT
리더 멘탈 PT
리더 습관 PT
리더 행복 PT
리더 상담기법 PT
리더 회복탄력성 PT
리더 감정컨트롤 PT
리더 인재양성 PT

Best 6

명품 자기계발

명품 동기부여

검증된 방탄 PT 분야

BEST Seller

자기계발 방탄 PT

4

<저자 최보규>

자격증 발급기관

압도적 차이를 만드는 방탄 PT!
앞서가는 리더는 방탄 PT 받는다!

- ☑ 7대 자기계발 PT
- ☑ 방탄 기본기 PT
- ☑ 방탄 태도 PT
- ☑ 방탄 사명감 PT
- ☑ 방탄 자존감 PT
- ☑ 방탄 자신감 PT
- ☑ 방탄 자기관리 PT
- ☑ 방탄 자기계발 PT

- ☑ 방탄 멘탈 PT
- ☑ 방탄 습관 PT
- ☑ 방탄 긍정 PT
- ☑ 방탄 인간관계 PT
- ☑ 방탄 행복 PT
- ☑ 방탄 스피치 PT
- ☑ 방탄 love PT
- ☑ 방탄 Smile PT

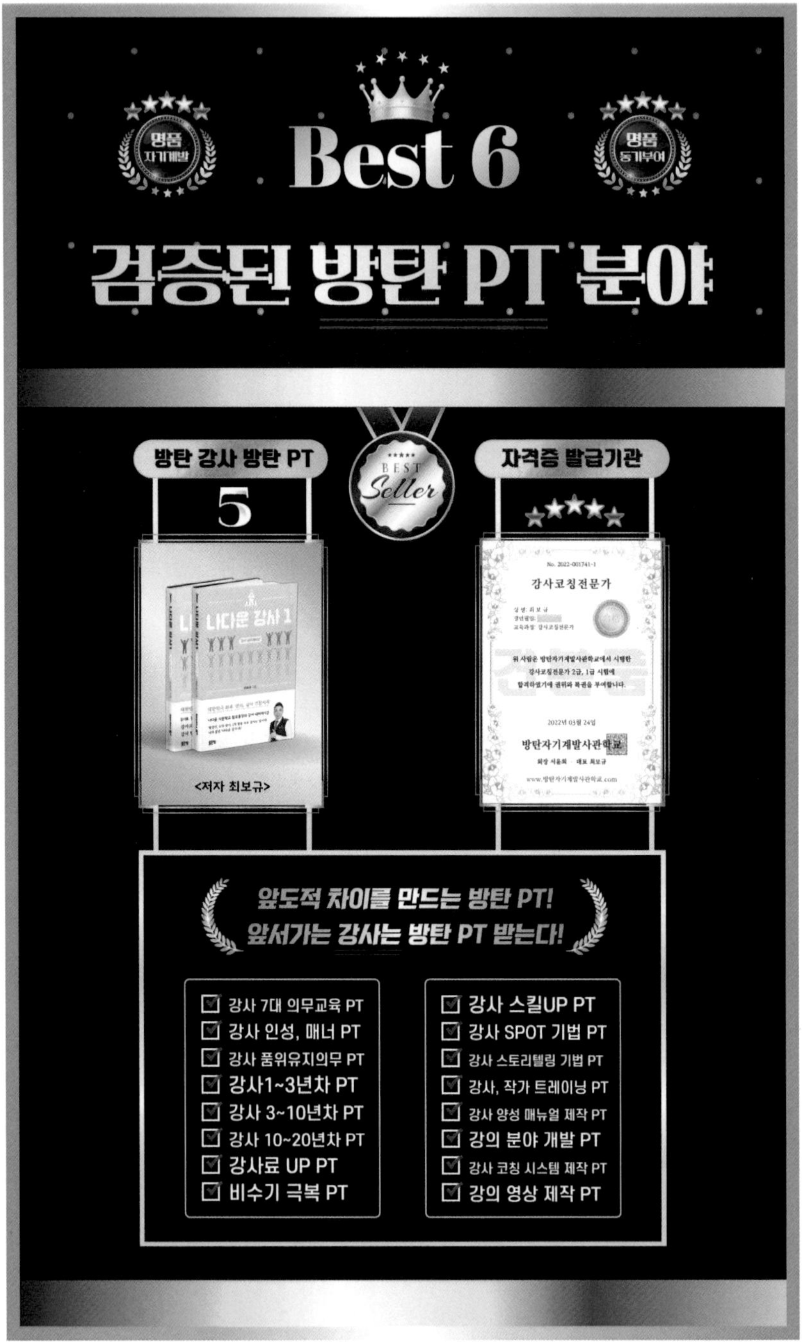
명품 자기계발
Best 6
명품 동기부여
검증된 방탄 PT 분야
방탄 강사 방탄 PT
5
BEST Seller
자격증 발급기관
니다운 강사 1
<저자 최보규>
강사코칭전문가
위 사람은 방탄자기계발사관학교에서 시행한 강사코칭전문가 2급, 1급 시험에 합격하였기에 권위와 목권을 부여합니다.
2022년 03월 24일
방탄자기계발사관학교
압도적 차이를 만드는 방탄 PT!
앞서가는 강사는 방탄 PT 받는다!
강사 7대 의무교육 PT
강사 인성, 매너 PT
강사 품위유지의무 PT
강사1~3년차 PT
강사 3~10년차 PT
강사 10~20년차 PT
강사료 UP PT
비수기 극복 PT
강사 스킬UP PT
강사 SPOT 기법 PT
강사 스토리텔링 기법 PT
강사, 작가 트레이닝 PT
강사 양성 매뉴얼 제작 PT
강의 분야 개발 PT
강사 코칭 시스템 제작 PT
강의 영상 제작 PT

20,000명 심리 상담, 코칭으로 알게 된
사람들이 바라는 6가지 시스템!
1
커피숍에서 지인과
대화 중에도 돈이
입금되는 시스템?
2
자고 있는데
돈을 버는 시스템?
3
여행 중에도 돈이
입금되는 시스템?
4
사무실, 직원이
필요 없는 시스템?
5
건물주처럼
월세가
입금되는 시스템?
6
집에서 댕댕이와
휴식하고 있는데 돈이
입금되는 시스템?
출판계의 혁신!
돈이 들어오는 6가지 시스템을
가능하게 하는 것이
방탄book기술력!

평균 희망 은퇴 73세, 현실 은퇴 나이 49세!
100세 시대 언제까지 몸(노동)으로만
일해서 돈을 벌 것인가?

세상, 현실 기준에서 스펙, 돈, 인맥, 자산 등이 없어서 100세까지 노동을 해야 되고 몸까지 아프면 더 답이 없는 상황! 젊을 때는 100가지 중 99가지를 할 수 있지만 나이 들면 100가지 중 99가지를 할 수 없다. 3고 시대, AI 시대, 챗GPT 시대에 자신의 직업이 사라 질 수 있는 상황에서 어떻게 준비, 대비할 것인가?

방탄BOOK기술력
선택이 아닌 필수!

한 분야 전문성으로 힘든 시대다. 이제는 포트폴리오 커리어 시대다. (포트폴리오 커리어: 한 분야 전문성 외 다수에 전문성이 있는 사람) 자신 경력을 왜 썩히고 있는가! 자신 경력을 활용해서 6가지 수입을 발생시킬 수 있는 방탄book기술력! 언제까지 몸(노동)으로 일할 것인가? 자신 경력이 일하게 하자! 자신 콘텐츠가 일하게 하자! 시스템이 일하게 하자!

★★★★★

직장은 자신 인생을 책임져 주지 않지만
방탄book기술력은 자신 인생을 책임져 준다.
직장은 자신을 배신하지만
방탄book기술력은 자신을 배신하지 않는다.

자신 분야 스펙, 내공, 가치, 값어치

카페에 피카소가 앉아 있었습니다. 한 손님이 다가와 종이 냅킨 위에 그림을 그려 달라고 부탁했습니다. 피카소는 상냥하게 고개를 끄덕이곤 빠르게 스케치를 끝냈습니다. 냅킨을 건네며 1억 원을 요구했습니다.
손님이 깜짝 놀라며 말했습니다. 어떻게 그런 거액을 요구할 수 있나요? 그림을 그리는 데 1분밖에 걸리지 않았잖아요. 이에 피카소가 답했습니다.

아니요. 40년이 걸렸습니다. 냅킨의 그림에는 피카소가 40여 년 동안 쌓아온 노력, 고통, 열정, 명성이 담겨 있었습니다. 피카소는 자신이 평생을 비쳐서 해온 일의 가치를 스스로 낮게 평가하지 않았습니다.

《확신》

특허청 등록

최보규 강사책출간 코칭전문가

등록 번호: 제 40-2200794 호

명품 자기계발

명품 동기부여

★★★★★ 차별이 아닌 초월 혜택 ★★★★★

Google 자기계발아마존 | YouTube 방탄자기계발 | NAVER 방탄book기술력 | NAVER 최보규

이코노미 PT

기본 5H : 500,000원

- ☑ 150년 A/S (세계 최초)
- ☑ 마스터한 분야 자격증 1종 취득
- ☑ 방탄자기계발사관학교 강사 위촉
- ☑ 방탄자기계발사관학교 마스터 위촉
- ☑ 비지니스 PT 10% 할인 (10만원 상당)
- ☑ 퍼스트클래스 PT 10% 할인 (30만원 상당)
- ☑ 마스터한 분야 실전 2시간 강의 교안 제공. (강사료 200만원 상당)

명품 자기계발

특허청 등록
최보규 강사책출간 코칭전문가
등록 번호: 제 40-2200794 호

명품 동기부여

★★★★★ 차별이 아닌 초월 시스템 ★★★★★

타사와 비교불가 초월 혜택!
자신 분야 온라인 건물주가 되어 100년 수입 창출!

Google 자기계발아마존 | YouTube 방탄자기계발 | NAVER 방탄book기술력 | NAVER 최보규

비지니스 PT

기본10H : 1,000,000원

CHECK POINT

- ☑ 기본 1회(2~3일=10H)
- ☑ 6가지 수입 창출 시스템 실전 훈련
- ☑ 150년 A/S, 피드백

특허청 등록

최보규 강사책출간 코칭전문가

등록 번호: 제 40-2200794 호

명품 자기계발

명품 동기부여

★★★★★ 차별이 아닌 초월 혜택 ★★★★★

Google 자기계발아마존 | YouTube 방탄자기계발 | NAVER 방탄book기술력 | NAVER 최보규

비지니스 PT

기본 10H : 1,000,000원

- ☑ 150년 A/S, 피드백
- ☑ 마스터한 분야 자격증 1종 취득
- ☑ 방탄자기계발사관학교 전임 강사 위촉
- ☑ 방탄자기계발사관학교 전임 마스터 위촉
- ☑ 퍼스트클래스 PT 10% 할인 (30만원 상당)
- ☑ 강사 맞춤 트레이닝 비대면 1회 제공 (50만원 상당)
- ☑ 마스터한 분야 실전 2시간 강의 교안 제공, 1:1 맞춤 교안 설명 (강사료 200만원 / 1:1 맞춤 100만원 상당)

명품 자기계발

특허청 등록
최보규 강사책출간 코칭전문가
등록 번호: 제 40-2200794 호

명품 동기부여

★★★★★ **차별이 아닌 초월 시스템** ★★★★★

타사와 비교불가 초월 혜택!
자신 분야 온라인 건물주가 되어 100년 수입 창출!

Google 자기계발아마존 | YouTube 방탄자기계발 | NAVER 방탄book기술력 | NAVER 최보규

퍼스트클래스 PT

기본 15H : 3,000,000원~

CHECK POINT

- ☑ 기본 1회(15H) / (2회 ~ 5회 선택 사항)
- ☑ 6가지 수입 창출 **자동 시스템 구축**
- ☑ 150년 A/S, 피드백, VIP맞춤 관리

특허청 등록

최보규 강사책출간 코칭전문가

등록 번호: 제 40-2200794 호

명품 자기계발

명품 동기부여

★★★★★ **차별이 아닌 초월 혜택** ★★★★★

Google 자기계발아마존 | YouTube 방탄자기계발 | NAVER 방탄book기술력 | NAVER 최보규

퍼스트클래스 PT

기본 15H : 3,000,000원~

- ☑ 150년 A/S, 피드백, VIP맞춤 관리
- ☑ 자격증 3종 취득 (150만원 상당)
- ☑ 방탄자기계발사관학교 지회장 위촉
- ☑ 종이책, 전자책 출간 후 네이버 인물 등록
- ☑ 20H, 30H, 40H, 50H PT 20% 할인
- ☑ 강사 맞춤 트레이닝 대면 1회 제공 (50만원 상당)
- ☑ 프로필 유튜브 홍보 영상 제작 (100만원 상당)
- ☑ 마스터한 분야 풀 패키지 (교안 제공, 1:1 맞춤 교안 설명, 청강 1회 제공) (강사료 200만원 / 1:1 맞춤 100만원 / 청강 1회 200만원 상당)

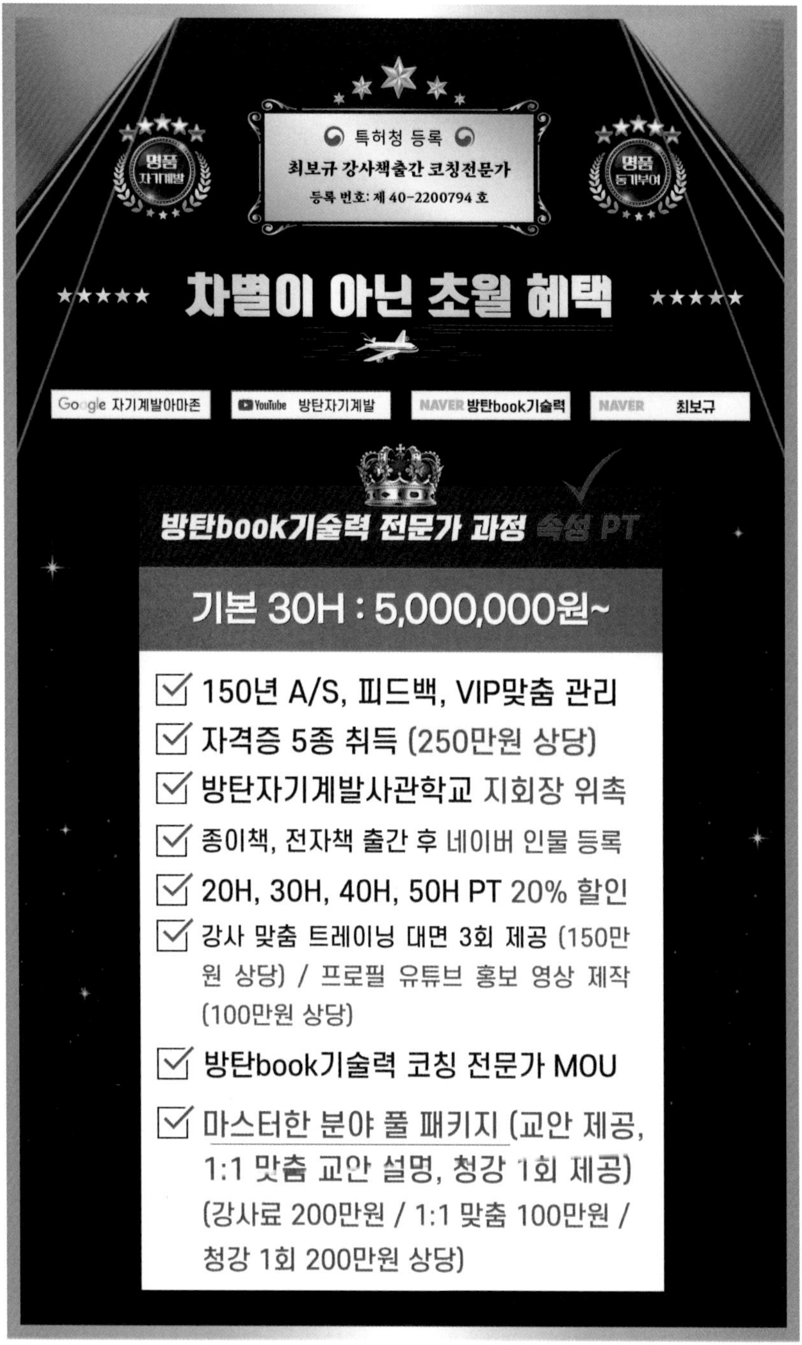

특허청 등록
최보규 강사책출간 코칭전문가
등록 번호: 제 40-2200794 호
명품 자기계발
명품 동기부여
★★★★★ 차별이 아닌 초월 혜택 ★★★★★
Google 자기계발아마존
YouTube 방탄자기계발
NAVER 방탄book기술력
NAVER 최보규
방탄book기술력 전문가 과정 속성 PT
기본 30H : 5,000,000원~
150년 A/S, 피드백, VIP맞춤 관리
자격증 5종 취득 (250만원 상당)
방탄자기계발사관학교 지회장 위촉
종이책, 전자책 출간 후 네이버 인물 등록
20H, 30H, 40H, 50H PT 20% 할인
강사 맞춤 트레이닝 대면 3회 제공 (150만원 상당) / 프로필 유튜브 홍보 영상 제작 (100만원 상당)
방탄book기술력 코칭 전문가 MOU
마스터한 분야 풀 패키지 (교안 제공, 1:1 맞춤 교안 설명, 청강 1회 제공)
(강사료 200만원 / 1:1 맞춤 100만원 / 청강 1회 200만원 상당)

특허청 등록
최보규 강사책출간 코칭전문가
등록 번호: 제 40-2200794 호
명품 자기계발
명품 동기부여
차별이 아닌 초월 시스템
타사와 비교불가 초월 혜택!
자신 분야 온라인 건물주가 되어 100년 수입 창출!
Google 자기계발아마존
YouTube 방탄자기계발
NAVER 방탄book기술력
NAVER 최보규
방탄book기술력 전문가 과정 6개월 PT
방탄
book 기술력
전문가
기본 30H : 10,000,000원~
CHECK POINT
기본 1회(5H) / (5회 ~ 10회 선택 사항)
6가지 수입 창출 자동 시스템 구축
150년 A/S, 피드백, VIP맞춤 관리

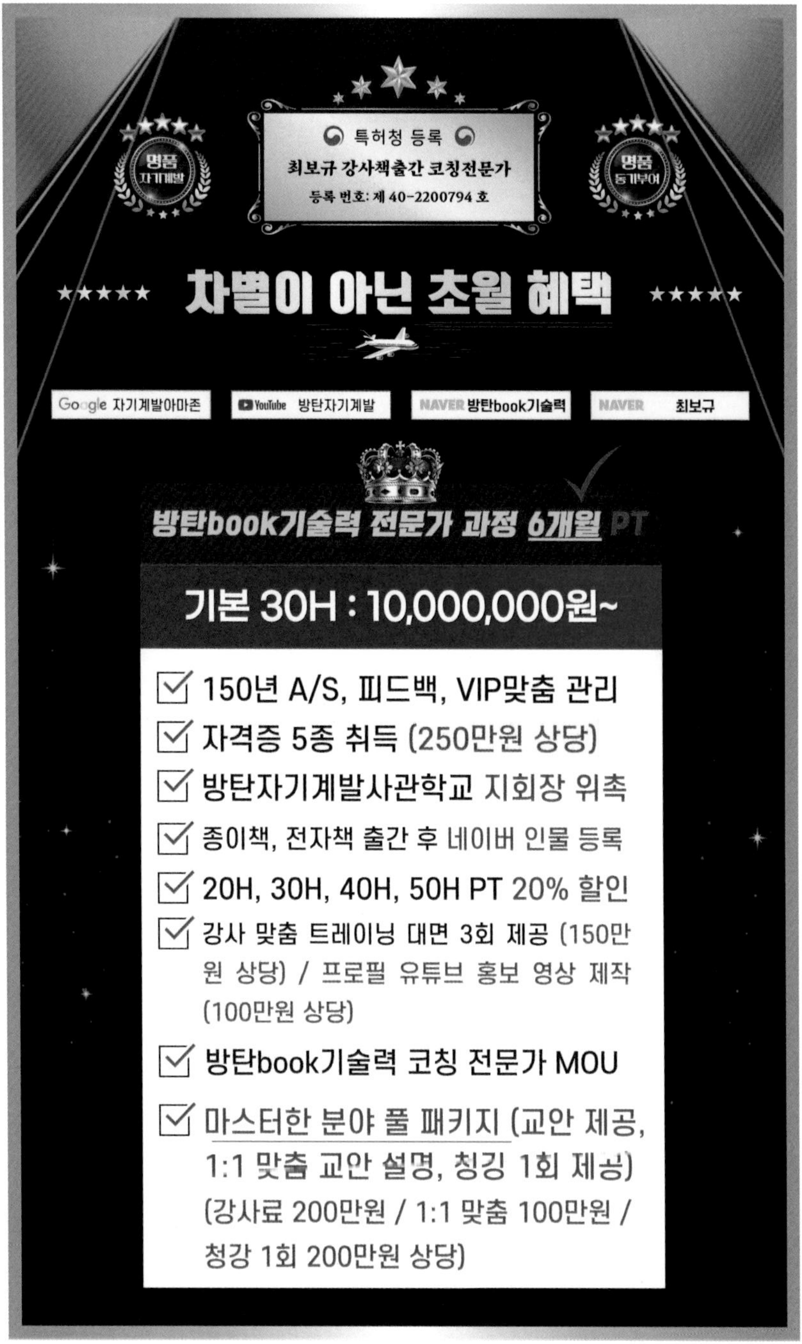
특허청 등록
최보규 강사책출간 코칭전문가
등록 번호: 제 40-2200794 호
명품 자기계발
명품 동기부여
차별이 아닌 초월 혜택
Google 자기계발아마존
YouTube 방탄자기계발
NAVER 방탄book기술력
NAVER 최보규
방탄book기술력 전문가 과정 6개월 PT
기본 30H : 10,000,000원~
150년 A/S, 피드백, VIP맞춤 관리
자격증 5종 취득 (250만원 상당)
방탄자기계발사관학교 지회장 위촉
종이책, 전자책 출간 후 네이버 인물 등록
20H, 30H, 40H, 50H PT 20% 할인
강사 맞춤 트레이닝 대면 3회 제공 (150만원 상당) / 프로필 유튜브 홍보 영상 제작 (100만원 상당)
방탄book기술력 코칭 전문가 MOU
마스터한 분야 풀 패키지 (교안 제공, 1:1 맞춤 교안 설명, 청강 1회 제공)
(강사료 200만원 / 1:1 맞춤 100만원 / 청강 1회 200만원 상당)

CLASS	내용
class 1	자신 분야 연결 6가지 수입 창출 기술력 컨설팅
class 2	자신 분야 삼성(진정성, 전문성, 신뢰성) 향상 책 쓰기, 책 출간 기술력 PT
class 3	자신 전문 분야로 제2수입 창출 기술력 PT
class 4	자신 전문 분야로 제3수입 창출 기술력 PT
class 5	온라인, 디지털 콘텐츠 기획, 제작 기술력 PT (4,5,6 수입 / 100년 지속적인 수입 창출 PT)

명품 자기계발
방탄 동기부여
명품 동기부여
방탄동기부여 전문가
www.방탄자기계발사관학교.com
최보규 대표
상담, 코칭, 강의, 컨설팅 문의
010-6578-8295
어제의 나는 잊어라!
살아온 날로 살아갈 날단정 짓지 말자!
자신을 못 믿겠다면 자신을 믿어주는
최보규 방탄동기부여 전문가를 믿고 시작합시다!
세상, 현실아 덤벼라!
몸, 머리, 마음을
강하게 해드립니다.!
Google 자기계발아마존
YouTube 방탄자기계발
NAVER 방탄동기부여
NAVER 최보규

명품
동기부여
명품
자기계발
특허청 등록
최보규 자기계발코칭 창시자
등록 번호: 제 40-2072344 호
특허청 등록
최보규 강사책출간 코칭전문가
등록 번호: 제 40-2200794 호
특허청 등록
최보규 리더동기부여 코칭전문가
등록 번호: 제 40-2128786 호
살아온 날로 살아갈 날·단정 짓지 말자!
해보자! 해보자! 지금부터 해보자!
NAVER 최보규
NAVER 방탄자기계발사관학교
YouTube 방탄자기계발
Google 자기계발아마존
자기계발, 미래 걱정과 고민은 이제 그만 하세요!
시간과 돈 낭비하지 마시고 검증된 곳에서 학습, 연습, 훈련!
150년 a/s, 피드백, 관리, 케어 받으세요!
방탄
동기부여
최보규 대표
010.6578.8295
코칭, PT, 강사, 컨설팅
nice5889@naver.com

◈ 참고문헌, 출처

<교보문고>

《감정 경제학》 조원경, 페이지2북스, 2023

<네이버 블로그 카루의 프리랜서 라이프>

<국어사전>

《300만원 동기부여 강의》 최보규, 부크크, 2023

<부크크(bookk)출판사>

세계 최초! 출판계의 혁신!

최보규의 책 쓰기 10G 2

발 행 | 2024년 06월 07일
저 자 | 최보규, 서윤희
편 집 | 최보규, 서윤희
디자인 | 최보규, 서윤희
마케팅 | 최보규
펴낸이 | 한건희
펴낸곳 | 주식회사 부크크
출판사등록 | 2014.07.15.(제2014-16호)
주 소 | 서울특별시 금천구 가산디지털1로 119 SK트윈타워 A동 305호
전 화 | 1670-8316
이메일 | info@bookk.co.kr

ISBN | 979-11-410-8758-6

www.bookk.co.kr